숭실100일성공2기 챌린지
100일 실천의 힘 기르기

숭실100일성공2기 챌린지

100일 실천의 힘 기르기

발　행 | 2023년 1월 20일
저　자 | 숭실100일성공2기팀, 이현주
펴낸이 | 한건희
펴낸곳 | 주식회사 부크크
출판사등록 | 2014.07.15.(제2014-16호)
주　소 | 서울특별시 금천구 가산디지털1로 119 SK트윈타워 A동 305호
전　화 | 1670-8316
이메일 | info@bookk.co.kr

ISBN | 979-11-410-6688-8

www.bookk.co.kr

본 책의 수익금 일부는 ‘세이브더칠드런’에 기부합니다.

숭실100일성공2기 챌린지

100일 실천의 힘 기르기

숭실100일성공2기 챌린지팀, 이현주 지음

100
숭실100일성공2기
변화와 성장

김희준
유희라
최원혁
김강주
지혜선
배은진
김현아
강예훈
황명일
김예은
이하림
구민정
명재용
김정심
때위이소

BOOKK

| 차례 |

| 프롤로그 |

'숭실100일성공' 챌린지를 통한 변화와 성장

2021년 숭실대학교 경영학부 겸임교수가 된 후 전공 강의 외에 학생들을 위해 무엇을 할 수 있을까를 고민했습니다. 그래서 학생들에게 1:1멘토 코칭을 시작하였습니다. 멘토 코칭은 마음 관리, 존재 찾기, 역량 강화, 학습 향상, 커리어 플랜 계획을 중심으로 진행했습니다. 멘토 코칭을 하는 동안 코칭을 받은 학생은 기대 이상의 탁월한 결과를 만들어 냈습니다.

그러나 코칭하는 동안 성장한 모습들은 코칭을 마치고 몇 달이 지났을 때 몇 명의 학생들은 안타깝게도 이전의 모습으로 돌아가 있었습니다. 그 학생들은 제가 이끌어주고 응원하며 격려하는 동안에는 잘 해냈지만, 스스로 동기를 부여하고 자생하는 힘이 약한 경우가 많았습니다. 아니 그런 경험을 가져본 적이 없을 수도 있습니다.

그렇다면 사용자경험디자인 컨설팅 전문가로서, 코칭하는 사람으로서 나의 역량을 발휘하여 무엇을 할 수 있을까를 생각하였습니다. 학생들 스스로 일어설 수 있는 경험을 가지려면 무엇을 할 수 있을까, 어떻게 도울 수 있을까, 지속적인 자가발전을 하기 위한 것이 무엇이 있을까를 다방면으로 생각하기 시작했습니다.

그 결과 '학생들의 몸과 마음속에 성공 DNA를 가질 수 있는 경험을 하게 해주자', '아주 심플하고 강력한 이 경험을 함께 만들자'라는 목적을 가지고 '숭실100일성공' 챌린지를 만들었습니다. 그리고 이번에 2기를 진행하였습니다.

이 챌린지를 하는 동안 실행하는 한 사람 한 사람에게
간절함을 담아 전하고 싶은 두 가지 메시지가 있었습니다.

'실패는 없다. 경험이 자산이 된다.'

첫째는 실패는 없고 경험이 자산이 된다는 것입니다. 우리는 어떤 일을 했을 때 성공과 실패로 나누어 판단하려고 합니다. 무엇인가 이루려고 도전하지 않으면 실패도 없습니다. 도전하고 행동하는 동안 일어나는 모든 경험은 자산이 됩니다. 실패라고 판단되었을 때도 그 일을 진행하면서 얻은 결과를 통해서 배우는 것이 있고 다음 일을 진행할 때 그 경험을 통해 얻은 것을 기반으로 새로운 생각이나 더 나은 방향으로 행동에 적용하게 됩니다. 모든 경험은 멋진 것입니다.

'실행을 통해 자신의 가능성과 잠재력은 확장된다.'

두 번째는 실행을 통해 자신의 가능성과 잠재력을 확장하는 것입니다. 챌린지를 하면서 어떤 상황에서 자신이 할 수 없는 것이나 방해하는 것에 매여있는 것이 아니라 자신이 스스로 취할 수 있는 것을 선택하여 앞으로 나아가는 관점을 가지기를 바랐습니다. 자신이 할 수 없는 무엇인가를 하려고 할 때 이것도 필요하고 저것도 필요하고 필수요소만 생각하다 보면 앞으로 나아가기가 힘들어집니다.

우리는 살면서 모든 자원을 다 가지고 있는 경우보다 자원이 충분하지 않음에도 불구하고 해나가야 하는 경우가 많습니다. 이 챌린지에서 매일 실천하는 것을 방해하는 것은 끊임없이 나타납니다. 그것을 극복해 가는 동안 자신의 가능성에 초점을 맞추어 생각하고 스스로의 선택을 확장하는 경험이 되길 바랐습니다.

100일 동안 행한 목표를 향한 실천은 위대한 것입니다. 매일의 실천에서 오는 강력한 힘을 믿습니다. 이 책 '숭실100일성공2기 챌린지, 실천의 힘 기르기'는 어려움을 극복해 가는 도전의 과정을 담았습니다. 그리고 그 안에서 일어나는 마음의 성찰이 담겼습니다. 이 챌린지는 도전한 멤버의 변화와 성장을 위한 것입니다. 이 강력한 경험을 독자와 공유하고자 합니다.

2024년 1월

이현주

- 이메일 flossy@naver.com
- 인스타그램 lmdvalues
- 블로그 lmd_values

| 숭실100일성공2기 챌린지 소개 |

'숭실100일성공2기' 시작

'숭실100일성공1기'는 2023년 3월 시작하여 100일 동안 챌린지를 진행하였습니다. 그리고 '숭실100일성공2기' 챌린지 2기는 2023년 9월 20일 시작하여 12월 28일까지 19명의 멤버들은 자신이 세운 목표를 이루기 위해 100일 동안 매일 실천하였습니다. 인스타그램에 스스로의 실천 결과를 이미지나 동영상으로 보여주며 인증하였고, 이에 멤버들이 하트 공감과 댓글을 달아주며 서로 응원과 격려를 보냈습니다.

• 숭실100일성공2기 엠블럼

1기 챌린지 멤버들이 인스타그램에 인증하는 것을 보고 많은 기업인이 학생들의 '도전과 실천'에 관심을 이미 보여주었었습니다. 그래서 인스타그램에 '숭실100일성공2기' 챌린지를 시작하는 소식을 알리고 시작했습니다. 2기는 학교 내부와 외부의 여러 선배님, 기업가분들로부터 격려의 인사를 받으며 힘차게 출발하였습니다.

100일 동안 챌린지에서 실천할 항목을 설정하는 과정

실천 항목을 설정하는 과정은 1단계에서 실천할 항목이 무엇인지 스스로 탐색하는 과정을 가졌습니다. 2단계는 이현주 교수와 멤버 간 1:1 개인 멘토 코칭 시간을 가졌습니다.

이 멘토 코칭 시간에 왜 이 목표를 설정했는지, 실천은 어떻게 할 것인지 등 구체적이고 달성할 수 있는 목표로 정리하였습니다. 코칭 대화를 통해 자기 동기를 재확인하며 좀 더 현실적인, 100일이라는 시간 동안 이룰 목표를 스스로 재정의하였습니다. 이 시간을 통해 자신이 왜 이 챌린지에 참여하고자 하는지와 이 챌린지를 통해 얻고자 하는 것이 무엇인지 스스로 성찰할 수 있었습니다.

이때 얻은 자신의 깨달음은 챌린지 중간에 실행 동력이

떨어질 때 다시 일어설 힘이 되었습니다.

'숭실100일성공2기' 선포식

챌린지 선포식은 2023년 9월 17일 5시에 온라인에서 가졌습니다. 선포식에서 다음과 같은 6개 질문에 답하며 자신의 목표와 실행을 선포하고 각오를 다지고, 발표하며 챌린지 멤버에게 공유하는 시간을 가졌습니다. 이 시간은 자신의 마음을 열고 함께할 100일을 위한 서로 응원하는 시간이었습니다.

1. 나는 누구인가?
2. 무엇을 실천할 것인가?,
3. 인증은 어떻게 할 것인가?
4. 챌린지에 참가한 이유는?
5. 스스로에게 보내는 한마디는?
6. 챌린지 동기에게 보내는 응원 한마디는?

• 챌린지 선포식

• 숭실100일성공2기 선포식 영상보기

공감적 의사소통 워크샵과 챌린지 중간점검

챌린지 진행 중에 공감적 의사소통을 주제로 워크샵을 진행하였습니다. 워크샵 시작 전에 선호표상체계 VAK 진단을 통해 자신의 선호표상체계를 파악하는 시간을 가졌습니다. VAK는 의사소통에 탁월하게 활용이 가능합니다. 그러나 참가자들은 두 번째 세션인 학습역량 강화 부분에 훨씬 더 많은 관심을 기울였습니다.

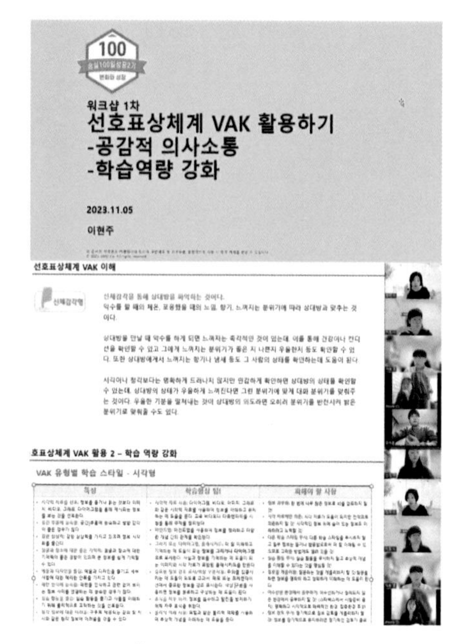

• 워크샵 - 공감적 의사소통

자신의 선호표상체계를 이해하고 그것에 맞는 학습 방법으로 챌린지를 진행한다면 훨씬 더 효율적으로 실천할 수 있습니다. 챌린지의 실천 항목 대부분은 학습 역량 강화와 연관이 있습니다. 워크샵은 자연스럽게 챌린지의 실천 항목을 재점검하고 실행 방법을 자신에 맞추는 데 초점이 맞춰져 진행되었습니다.

'숭실100일성공2기' 실천의 힘 기르기

100일 동안의 챌린지는 위대했습니다. 멤버들이 매일 올리는 실천은 다른 사람에게 응원이 되고 자극도 되었습니다. 100일은 인생에서는 짧은 시간일 수 있지만 목표를 가지고 실천하는 100일은 절대 짧지 않았습니다.

"100일 실천의 결과는 빛나지만,
그 과정은 결코 쉽지 않았습니다."

이 100일 동안 우리가 만든 것은 '자기 신뢰'이며, 앞으로 살면서 어떻게 하면 되는 건지 자신감과 확신을 만드는 '위대한 경험'의 여정이었습니다. 우리 스스로 행하는 100일 동안 성공 DNA를 만들어 자신의 존재 자체가 되는 과정이었습니다. 챌린지 선포식에서 '100일의 기적 만들기'를 외쳤던 자신의 각오를 실천으로 보여주었습니다. 우리는 멤버들의 상호격려와 응원의 한마디가 있어서 실행력이 떨어질 때 멈추지 않고 다시 시작할 수 있었습니다.

챌린지를 통해 '함께 하는 가치'의 소중함을 배웠기에 어려움을 극복해 내는 과정을 이 책의 독자분들과 함께 나누고자 합니다. 이 책은 '숭실100일성공2기' 챌린지의 성공 결과이면서, 같은 고민을 하고 치열하게 미래를 향해 나아가는 학생과 청춘들에게 우리의 경험을 공유하며 응원하기 위한 책입니다. 그리고 간절히 진심을 담아 좋은 성장을 이루어 나가시길 응원합니다.

저희는 여기서 멈추지 않고 '숭실100일성공3기'에 다시 도전하며 미래를 만들어 가겠습니다.

2024년 1월
숭실100일성공2기 챌린지팀

‘숭실100일성공2기’ 챌린지 멤버, 인스타그램 계정

- 김희준 h22_june
- 유희라 Huira_100days
- 최원혁 book.nyeok
- 김강주 gimgangju112
- 지혜선 aesunny_100days
- 배은진 freshmanej
- 김현아 record.100days
- 때위이소 thae_wut_yi_soe
- 강예훈 hoon100days
- 황명일 soongsil100_2nd_mih
- 김예은 yeeun_daily_100
- 이하림 roterharim_100days
- 구민정 mj0207_100days
- 명재용 daily_deep_blue
- 이고은 imixzz_100days
- 김정심 white_simi0209
- 이예은 no_01250
- 김영경 gimyk5104
- 이현주 soongsil100_2nd_lhj

1장.
넘어져도 일어나는 방법을 모르는 당신에게

김희준

챌린지

아침에 일어나서 30분 달리기
하루에 한 권 독서하기
아침 일찍(6시 반, 늦어도 7시) 일어나기

1. 노력하지 않던 나를 받아들이기

무언가를 이뤄내고자 노력하는 것은 무척이나 힘들지만, 그만큼의 보상이 결과로써 따라온다는 것은 우리가 너무나 잘 알고 있는 사실이다. 하지만 그 노력이 너무나 힘든 나머지, 사람들은 조금이라도 쉬운 길을 찾기 위해 노력하기도 한다. SNS에 적잖이 보이는 남들의 성공 신화는 우리에게 조금의 노력으로도 크게 성공할 수 있다는 과장된 희망을 불어넣는다. 그럼에도 우리는 노력의 수고스러움과 가치를 잘 알고 있기에 부단히 노력하며 부지런히 사는 사람들에게 마치 신과 같은 삶을 산다고 해서 '갓생 산다'는 표현을 사용한다.

'갓생'이라는 단어는 지금까지 나와는 관련이 없는 단어였다. 그냥 평범하게, 어쩌면 흘러가는 대로, 굴러가는 대로 살고 싶었던 내게 노력의 불씨를 지펴준 것은 교수님께서 수업 중에 해주신 이야기 덕분이었다. 이 챌린지를 먼저 하셨던 분이 100일이라는 시간이 가기도 전에 자기 자신을 믿게 되었다는 이야기였다. 문득 '나는 나를 얼마나 믿고 있나?'라는 질문을 자신에게 던졌다. 그리고 내가 나를 얼마나 못 믿고 있었는지, 그것이 나를 얼마나 부정적이고 의욕 없는 사람으로 만들었는지를 알게 되었다. 이제부터라도 바뀌지 않으면 내가 나를 제대로 마주 보지 못할 것 같아 챌린지를 시작하게 되었다.

2. 목표를 설정하기까지

처음 챌린지를 시작하겠다고 마음먹었을 때, 내 인생에서 가장 육체적으로 힘들었던 때가 생각났다. 군대에 있을 때, 매일 아침저녁으로 3km를 선임들과 발을 맞춰 뛰다 보면 숨이 너무 가빠 이렇게 달릴 바에 차라리 쓰러지는 게 낫겠다는 생각밖에 들지 않았다. 병장이 되어서도 3km 뜀걸음은 최대한 빠지려고 노력했다. 그래서 나는 '100일 동안 매일 아침 기상 후 30분 뛰기'라는 목표를 세우고 내가 제일 싫어하던 일로 나의 한계를 넘어보자고 결심했다. 지금까지 너무나 부족하고 부정적이었던 나 자신을 바꿔보기로 마음먹었으니, 이런 목표에 상응하는 노력과 행동이 필요하다고 생각했기 때문이다.

군대를 떠올리면서 설정한 목표이기에 나의 환경을 어느 정도 군대와 같이 바꿀 필요가 있다고 생각했다. 월요일과 금요일 아침 9시에 수업이 있고, 학교까지 1시간 정도 걸리기 때문에 매일 6시 반에 일어나는 것을 가장 우선해야 할 세부 목표로 삼았다. 혹시나 알람을 못 듣고 못 일어나지 않을까 싶어서 알람음도 군대 기상나팔로 설정했다. 아침에 일어나면 제일 먼저 이부자리를 정리하고, 양치했다. 가볍게 물 한 잔을 마신 후 군대에서 신던 러닝화를 가지고 러닝머신으로 향했다. 아침에 이러한 과정마저 귀찮을 수도 있을 것 같아 전날 자기 전에 준비를 모두 마쳐놓고 잠에 들곤 했다.

3. 변화의 시작

9월 20일, 100일 챌린지의 첫날이 밝았다. 기상나팔의 효과는 놀라울 만큼 확실했다. 6시 반에 일어나, 룸메이트가 깨지 않도록 조용히 이부자리를 정리했다. 양치하면서 뛸 때 마실 물을 받았고, 생각보다 가벼운 발걸음으로 러닝머신에 올라갔다. 처음 3분 동안 걸으면서 몸을 조금 풀고, 3분이 지나는 시점에 뛰기 시작했다. 처음 5분 동안은 생각보다 할 만하다는 생각이 들었다. 무엇보다 '그 게으르던 내가 아침 일찍 일어나 러닝머신에서 운동하고 있다고?'라는 생각이 들어 벌써 내가 부지런한 사람, '갓생 사는 사람'이 된 것 같았다. 하지만 뛰기 시작한 지 10분이 지나자, 내 저질 체력이 드러났다. 자세는 엉망이 되었고 숨은 턱 끝까지 차올랐다. 그래도 첫날이니 시간만큼은 꽉 채우자는 마음으로 속도를 줄이고 남은 시간을 채우기 위해 계속 뛰었다.

• 첫 인스타그램 인증 글

운동을 끝내고 씻은 후 학교에 가는 지하철 안에서 신기한 경험을 했다. 아침에 30분 달리기를 한 것뿐인데 정말 내가 열심히 살고 있는듯한 고양감에 마음이 들떠있었다. 이런 기분을 느껴보는 것도 처음일뿐더러, 매일 이런 기분을 느낄 수 있다면 기꺼이 매일 달리겠다고 다짐했다.

그리고 본가에 내려가 추석 명절을 쇠고 있을 때 첫 번째 위기가 닥쳐왔다. 기상나팔을 오래 들은 탓일까, 휴가를 나온 군인처럼 너무 늦게 일어나버렸다. '늦게 일어나기도 했고, 명절이니까 오늘 하루 정도는 괜찮지 않을까?'라는 생각이 머리에 가득했다. '아직 일주일밖에 안 지났는데 이래도 되나?'라는 생각과 '오늘 하루만 쉬자'라는 생각이 머릿속에서 계속 싸우고 있었다. 하지만 옆에서 14살짜리 동생이 같이 뛰자고 하는 바람에 얼떨결에 같이 뛰어버렸다. 옆에서 응원해 주는 사람이 있는 것이 얼마나 큰 힘이 되었는지 모른다. 러닝머신도 아닌 시골의 포장도로를 평소보다 5분이나 오래 뛰었다. 챌린지를 서로 응원해 주는 이유를 조금은 알 것 같았다.

매일 달리고 인증을 올리고를 반복하다 보니 생각보다 한 달을 쉽게 채웠다. 아침에 일어나서 30분 달리는 것이 마치 삶의 일부가 된 듯한 느낌이 들었다. 챌린지 5일 차가 되었을 때 교수님께서 어떤 생각이 드냐고 물어보셨다. 나는 "나와 같은 도전을 하는 사람들이 있다는 사실만으로도 다시 일어날 이유가 되고, 정말 힘들 줄로만 알았던 아침에 일찍 일어나는 일이 생각보다 별거 없다는 마음이 들었다. 그 어려운 것을 내가 해냈다는 마음이 들기도 하고 당장이라도 뭔가 해낼 수 있을 것 같은 느낌이 든다."라고 답변을 드렸다. '이게 교수님께서 말씀하셨던 '성공 DNA'구나' 하는 생각이 들었고, 70일이라는 남은 기간이 그리 길게 느껴지지 않았다. 문득 정신적으로 굉장히 많이 성장했다는 느낌이 들었다. 일찍 일어나면 더 잘 수 있다는 생각에 행복해했던 내가 어느새 이런 감정을 느끼고 있다니, 한 달이라는 시간이 사람을 이렇게나 바꿔놓을 수 있다는 사실이 놀라웠다.

4. 시련을 마주하다

한 달 하고도 일주일 정도 지났을 때, 예상하지 못했던 시련이 다가왔다. 편도가 물을 마시기조차 힘들 정도로 부어서 달리기에 지장이 생긴 것이다. 그때 처음으로 달리기를 못하는 상황에 처했다. 여기서 챌린지가 끊긴다는 생각에 침울해 있던 것도 잠시, 무언가를 해야만 한다고 생각했다. 여기서 또 한 번 내가 정신적으로 성장했다는 것을 느꼈다. 한 번 넘어졌을 때 다시 일어날 힘이 생긴 것이다. 나는 내가 가볍게 할 수 있는 것을 생각했고, 평소 책을 자주 읽었기에 하루도 빼놓지 않고 책을 읽는 챌린지로 대체해서 진행했다.

그 결과, 13일 동안 네 권의 책을 읽었다. 이렇게 위기를 극복하는 내 모습이 너무나 자랑스럽고 뿌듯했다.

하지만 이런 생각이 무색하게도, 정말 큰 위기가 찾아왔다. 바로 중간고사였다. 중간고사와 시험을 준비하는 것이 문제가 되었던 것은 아니다. 시험 기간에도 일찍 일어나 30분을 달렸고, 인증까지 했다.

내가 챌린지를 처음 실패했을 때는 중간고사가 끝난 이후였다. 오랫동안 고생했다는 마음에 보상 심리가 작동하고 만 것이다. '하루만 쉬고 내일부터는 진짜 뛰어야지'라고 생각하고 '같이 챌린지를 진행하시는 분들도 하루 정도는 안 올리셨던 때가 있었다'라며 어떤 사정이 있었는지 생각조차 하지 않고 다른 분들의 노력을 깎아내리기까지 했다. 그렇게 한 번을 쉬고 나니 두 번, 세 번 쉬기는 훨씬 쉬웠다. 그리고 3주가 지났을 때는 이미 챌린지를 완전히 놓아버렸다고 할 수 있을 만큼 아무런 생각이 들지 않았다. 그렇게 11월이 지나가고 있었다.

• 나의 1일 1독 챌린지 첫 책

기말시험을 대비하느라 늦게 집에 들어가면서 휴대전화를 확인했는데, 교수님께 연락이 와 있었다. 챌린지가 30일 남았으니 힘내서 챌린지를 완수하자는 내용이었다. 순간 머리를 망치로 맞은 것 같았다. '나는 왜 챌린지를 손에서 놓고 있었는가.' 하지만 정신을 차리고 지금 내가 실행할 수 있는 것이 무엇이 있을까 생각했다. 그때의 나는 시간 감각도 없어졌고 밤낮이 바뀌었을 뿐만 아니라 육체적 피로도 상당했다. 이런 상황은 악순환을 불러올 뿐이니, 다시 처음으로 돌아가서 아침 일찍 일어나는 것부터 시작해야겠다고 생각했다. 3주의 공백이 있었던 만큼 이번에는 열심히 해야겠다는 생각과 의지가 가득했다.

5. 도전의 막바지에서

어느새 챌린지는 마지막 한 달을 달리고 있었다. 나는 당장 지금의 나태한 상황에서 벗어나야겠다는 생각뿐이었다. 다시 6시 반에 일어나야겠다고 다짐했을 때, '내가 6시 반에 일어날 수 있을까?'라는 걱정은 전혀 들지 않았다. 이미 내 안에는 성공 DNA가 심겨 있던 것이다. 매일 6시 반에 일어났고, 인증 글을 올렸다. '이게 얼마 만에 하는 인증인지. 이렇게 쉬운 일을 왜 지금까지 못 했을까?'라는 생각이 들었다. 매일 6시 반, 늦어도 7시에 일어날 수 있도록 노력했고, 인증 글을 올렸다.

하지만 기말시험이 다가오고 있었고, 학과 특성상 작품을 제출해야 하는 과목이 있다 보니 시험 전 일주일은 총 30시간도 못 자면서 수정에 수정을 거듭하며 밤을 지새웠다. 쪽

잠을 자면서 시험과 작품 제작을 병행하느라 눈을 감는 시간은 보통 오전이었고, 눈을 뜨는 시간은 점심시간이었다. 일찍 일어나는 것이 의미가 없었다. 그렇게 기말시험이 끝날 때까지는 챌린지를 실행하지 못했다.

기말시험이 끝난 후, 이번에는 무너지지 않아야겠다는 마음으로 매일 6시 반에 일어났다. 하지만 일어났을 때 시간을 찍어두는 것을 매일 까먹어서 인증 글은 올리지 못했다. 그래도 나태해지지 않았다는 사실이 나에게 굉장한 위로가 되었다. 매일 6시 반에 일어나고, 이부자리를 정리하면서 온전히 내가 이루고자 했던 것에 집중하는 내 모습이 너무 좋았다. 자존감이 꽉 찬 하루하루를 보내는 것이 즐거웠다.

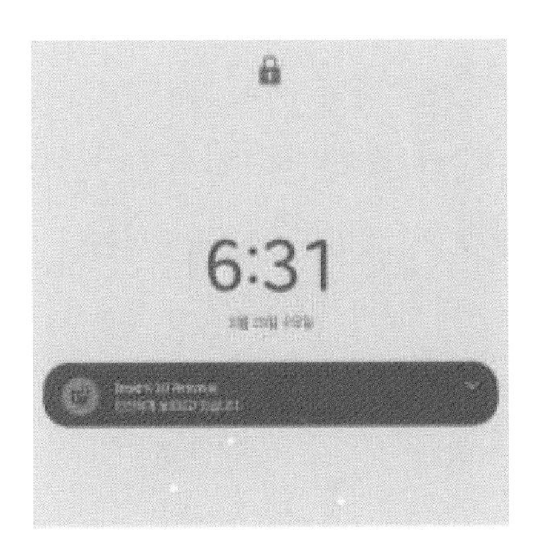

• 일찍 일어나기 챌린지를 처음으로 진행했던 날 인증

6. 챌린지를 끝마치며

챌린지가 막바지를 향해가고 있는 요즘, 그동안의 챌린지를 수행해 왔던 과정을 뒤돌아보게 된다. 혹자는 '결국 네가 설정한 목표로 100일을 채우지 못했으니, 챌린지는 실패한 것 아니냐?'라고 말할 수 있다. 물론 맞는 말이다. 챌린지의 성공 여부는 100일이라는 시간 동안 하루도 빼놓지 않고 자신이 정한 일을 이뤄내는 것에 있었다. 내적으로든 외적으로든 흔들리지 않고 목표를 달성해나가는 것에 초점이 맞춰져 있다. 나는 결과적으로 봤을 때 챌린지에 실패한 것은 맞았다.

하지만 나는 챌린지에 실패했을지언정 얻은 것이 많았기에 부끄럽지 않다. 3주간의 공백, 그리고 중간마다 쉬고 싶었던 마음들을 부정하지 않고 그대로 받아들이는 과정에서 인격적으로 성장할 수 있었다고 생각한다. 넘어졌다는 것을 인정해야 일어날 수 있지 않겠는가. 그리고 그 과정에서 얻은 나의 성공 DNA가 내게 무엇이든 하기만 하면 해낼 수 있다는 믿음을 주었다.

앞서 말했듯이 나는 정말 흘러가는 대로 사는 것이 내 인생의 목표였다. 적당히 공부하고, 학사 경고를 받지 않을 정도의 성적을 받고 조용히 사는 것이 대학 생활의 목표였다. 남들의 눈에 띄지 않고 남들에게 조용히 묻어가면서 살아가고자 했던 내게 처음으로 무언가를 해보고 싶다는 욕심이 생겼고, 그 첫 번째 계단으로 이렇게 챌린지에 참여하게 되었다. 나는 내가 이번 챌린지에서 이루고자 했던 것을 모두 이루었다.

잠시 시간을 돌려, 맨 처음 목표를 설정하기 위해 교수님과 전화로 미팅을 진행했을 때, 메타인지를 높여 자존감을 높이는 것이 내 목표였다. 그래서 심리학을 공부하거나, 독서하면서 나에 대해 알아가자는 목표를 설정했었다. 그때 교수님께서 내게 이 챌린지를 수행한 끝에는 자존감은 기본으로 깔려있을 것이라고 말씀해주셨다. 그때는 사실 잘 와닿지 않아 일단 교수님이 시키는 대로 했다. 그래서 설정하게 된 목표가 30분 동안 달리기였다.

우리는 열심히 사는 사람. 즉 '갓생'을 사는 사람들을 존경하고 존중한다. 그 이유는 무엇일까? 우리는 그 사람이 어떤 사람인지 알기 때문에 그를 존경하는 것으로 생각한다. 노력은 어려움을 동반한다는 것을 알고, 그 사람이 노력이라는 행위를 하는 것을 알기 때문에 그 사람이 어려움을 이겨내고 목표를 위해 노력하는 것을 존중하는 것이다. 즉, 그 사람이 무슨 행위를 하는지를 알기 때문에, 그 사람은 '노력을 하는 사람'이라는 것을 우리가 알았기 때문에 그를 존경, 존중하는 것이다.

이제는 교수님께서 하신 말씀이 무엇인지 알 것 같다. 또 처음에 내가 목표로 삼았던 것이 틀렸다는 것을 알게 되었다. 메타인지를 높이고 나서 자존감을 찾는 것이 아니다. 자존감과 메타인지는 사실 동일한 말이었다. 앞서 우리가 어떤 사람을 존중할 수 있는 이유는 그 사람이 어떤 사람인지 알기 때문이라고 했다. 자존감은 자신을 존중, 존경하는 것이다. 메타인지는 자신이 어떤 사람인지 아는 것이다. 자신을 알기 때문에 자신을 존중할 수 있고, 자신을 존중하기 때문에 자신이 어떤 사람인지 알 수 있는 것이다. 나는 이제 내가 어떤 사람인지 알았고, 나를 존중할 수 있게 되었다. 이제 나는 내가 가야 할 길을 개척할 힘을 가졌고, 그 길을 걸어갈 힘이 생겼다.

요즘은 내가 하고 싶은 것이 무엇인지 적어보고, 하나씩 이뤄보기 위해 로드맵을 작성하는 것이 삶의 낙이 되었다. 내가 하고 싶은 것이 무엇인지 찾아보는 것도 재미있고, 그것을 이뤄냈을 때의 내 모습을 상상하는 것도 재미있다. 또 실패를 두려워하지 않는 내 모습이 정말 마음에 든다. 어제는 '빠르게 실패하기'라는 책을 읽었다. 읽으면서 정말 많은 부분에 공감했고, 친구들에게 이 책을 읽어보라고 추천하기도 했다. 나는 현재 내 삶에 너무나도 만족한다.

7. 경험을 공유하는 이유

처음 교수님께서 챌린지 스토리를 공유해줄 수 있는지 내게 물어보셨을 때, 정말 1초의 고민도 없이 바로 공유하겠다고 말씀드렸다. 이 챌린지를 수행하면서 내가 정신적으로 성장한 이야기와 느꼈던 여러 감정을 남들과 공유할 수 있다는 것이 순수하게 기뻤던 것 같다. 교수님께서 수업 초반에 해주신 교수님의 유학 시절 이야기가 있다. 교수님이 유학생일 때, 한 교수님이 매일 시간을 내서 무료로 교수님께 영어 발음에 대한 코칭을 해주셨다는 이야기였다. 교수님께서도 그때 받은 만큼 우리에게 돌려주시고자 이 챌린지를 진행한다고 하셨다. 나 또한 그와 동일한 마음으로 이 챌린지의 경험을 공유하고자 한다.

성공한 사람들의 이야기를 듣다 보면, 공통점을 발견하게 된다. 그들은 남들에게 주는 것을 즐거워하는 기버(Giver)라는 것이다. 남들에게 자신이 가진 것들을 베풀며 순수한 기

뻠을 느끼는 자들이었다. 이 챌린지를 하기 전에는 그런 기버의 행동이 정말 아깝다고 생각했다. ‘적어도 어떤 조건을 걸었어야 하는 것이 아닌가, 공짜로 나누지 않고 조금이라도 돈을 받고 팔아도 서로 좋지 않나?’라는 생각을 했다. 하지만 이 챌린지를 수행하고 나니 나 또한 베풂에서 오는 순수한 기쁨을 알 것 같았다.

- 이번 학기동안 읽었던 책들

이 글을 쓰면서 지난 시간 동안 내가 어떤 마음가짐으로 챌린지를 수행하기로 마음먹었고, 어떤 마음가짐으로 챌린지를 수행했고, 챌린지가 막바지에 다다른 오늘 어떤 마음가짐을 가졌는지 다시 한번 점검하게 되었다.

사실 우리는 모두 알고 있다. 정직한 노력만큼 빠른 지름길이 없다는 것을. 하지만 노력이라는 것이 얼마나 힘든지 알기에, 우리는 적은 노력을 들여서 성공하는 사람들을 부러워한다. 들이는 노력에 비해서 누가 더 성과가 좋은지 비교하고, 조금이라도 어려우면 포기하는 일이 일상이다. 나도 그들과 같았다. 남들이 성공을 목표로 한 걸음 한 걸음 천천히 걸어가고 있을 때, 나는 언제 올지 모르는 버스를 잡고자 하염없이 제자리에서 기다리고 있었다. 문득 먼저 걸어갔던 사람들이 생각나 그들을 바라보면 그들은 이미 자신이 이루고자 했던 목표를 이루고 그다음 목표를 향해 묵묵히 걸어가고 있다는 것을 발견할 수 있었다. 그제야 나는 내 현실을 인정하고 발을 떼기 시작했다.

내가 이 글을 통해 독자분들에게 말씀드리고 싶은 것은 딱 한 가지이다. '당신은 할 수 있다'는 것이다. 신입생 시절을 코로나로 인해 날려버리고, 군대를 막 전역한 나는 정말 가진 것이 아무것도 없었다. 인맥도, 돈도 지식도 없던 내가 지금은 이렇게 미래를 바라보며 나아가려고 하고 있다. 움직였기 때문이다. 성공하고자 하는 욕심이 아예 없었던 것은 아니지만, 나와는 먼 이야기라고 생각해서 바라보지도 않고 현실에 안주했던 내가 이렇게 미래를 향해 걸어가려고 마음먹은 것은 한 걸음이라도 움직였기 때문이다.

한 걸음 앞으로 내딛는 것은 힘들지 않다. 다만 너무 높은 목표를 잡으면 그 한 걸음이 너무 버겁게 느껴질 수 있다. 내가 그랬다. '더 쉬운 목표로 잡았다면 100일 동안 하루도 빼놓지 않고 이뤄낼 수도 있지 않았을까'라는 생각이 들어 아쉬운 감정도 분명히 있다. 해냈다는 감정을 느끼기 위해서 포기하지 않으려면, 작은 일부터 시작하는 것이 가장 좋다고 생각한다. 미 해군 대장 윌리엄 맥레이븐의 '세상을 바꾸고 싶다면 아침에 일어나서 이불을 개는 작은 것부터 제대로 이루면서 하루를 시작하라'라는 말이 익히 알려져 있듯, 내가 이룰 수 있는 가장 작은 성공이 무엇인지 생각해 보고, 그것을 꾸준히 이뤄나가는 것이 좋을 것 같다.

8. 앞으로의 계획

나는 앞으로 심리 상담 공부를 해보고 싶다. 챌린지를 진행하던 중에 우연한 기회로 심리 상담을 받게 되었는데, 지금까지 혼자 끙끙대며 머리를 싸매고 고민했던 것들이 정말 많이 나아졌기 때문이다. 혼자서 고민하는 것보다 타인과 함께 머리를 맞대고 앞으로 어떻게 나아가야 할지 생각하는 과정에서 심리적인 안정감을 많이 느꼈고, 상담을 진행할수록 점점 이타심이 길러지는 것 같았다. 심리적으로 부담을 많이 느끼고 있었는데, 심리 상담을 통해서 내가 많이 성장했고 이제는 남을 도와주고 싶다는 생각이 들 정도로 건강해졌다는 것을 느꼈다.

물론 학업을 병행하면서 심리 상담 공부를 하는 것은 힘들 것이다. 하지만 이번 챌린지에서 실패했던 요인들을 바탕으로 작은 것부터 하나하나 보완해 나가려 한다. '언젠가는 나도 누군가에게 도움을 줄 수 있는 사람이 되지 않을까?'라는 마음으로 급하지 않게 목표를 설정하고 차근차근 나아가보려고 한다.

짧다면 짧고 길다면 긴 글을 끝까지 읽어준 독자분들, 그리고 이 글을 쓸 수 있도록 챌린지를 기획하시고 경험을 공유할 기회를 주신 교수님, 아침에 기상나팔을 들으며 고통스럽게 일어난 룸메이트, 같이 챌린지를 진행하면서 응원해 주신 챌린지 동기들께 감사의 말씀을 전하고 싶다.

2.
내 삶의 터닝 포인트, 단 100일

유희라

챌린지

#터닝포인트 #성공을향한도약
매일 복습하기,
매일 성경 읽기

안녕하세요? 평범한 대학생 유희라입니다. 저는 대학의 한 교양 수업에서 우연히 뵙게 된 교수님과 함께 시작한 100일 챌린지로 소중한 것들을 경험하였습니다. 지금부터 제가 경험한 100일간의 경험과 깨달음을 여러분들에게 들려드리겠습니다.

삶의 터닝 포인트가 된 교수님과의 만남

개강하고 얼마 지나지 않았을 무렵, 교수님께서 기업의 이해 수업 중에 교수님의 캐나다 유학 시절 이야기를 들려주셨습니다. 유학하는 대학교의 한 교수님께서 친히 시간을 내어 매일 30분씩 교수님께 영어 코칭을 해주셨다는 이야기였습니다. 이현주 교수님께서는 수업 중에 다음과 같이 말씀하셨습니다.

"100일 챌린지를 통해 학생들의 성장을 돕는 일은 제가 캐나다 유학 당시 영어 코칭을 받은 교수님으로부터 받은 봉사를 환원하는 것입니다. 저는 제가 받은 만큼 저의 학생들에게 돌려주고자 제 역량을 살려 무료로 학생들의 성장을 코칭하고 100일 챌린지를 진행하는 것입니다."

이 말씀은 제가 교수님을 좋아하게 된 계기입니다. 이 말씀을 듣고 저는 제가 찾던 교수님을 찾은 기분이었습니다. 이 메시지를 통해 이현주 교수님과 함께하는 챌린지는 분명 성공적인 챌린지로 끝날 수 있을 것이라는 확신이 들었습니다. 그리고 100일 챌린지를 공지하셨을 때 주저하지 않고 신청하였습니다. 뒤에 가서 말하겠지만, 이 100일 챌린지의 신청은 제 인생에서 가장 잘한 일 중 손에 꼽는 일이었습니다.

목표를 설정하는 방법조차 몰랐던 나

저는 세 가지 목표를 설정하였습니다. 22학점이나 들으며 주 16시간 근로를 하는데 매일 세 개의 목표를 100일 동안 달성하겠다고 정하였습니다. 참 어리석죠? 이전까지 현명한 목표설정을 배운 적이 없으니 과잉 목표를 세워버린 것이죠. 부끄럽지만 저는 챌린지를 진행한 지 30일도 채 되지 않았을 때 한 가지 목표를 잠정 보류하였습니다. (사실상 지워버린 거나 다름없었어요) 하지만 저는 30일도 채 되지 않았을 때 22년 동안 배우지 못한 큰 깨달음을 얻었습니다. 목표를 세울 때 자신이 어느 상황과 위치에 놓여있는지 객관적으로 파악할 것, 목표는 가능한 한 높게 설정하되 달성할 수 있는 목표를 설정할 것, 달성 여부를 파악하기 위해 측정이 가능할 것. 목표설정과 관련된 이야기는 교수님께서 수업 중에 다루기도 하셨습니다.

아무튼 이쯤 되면 제가 정한 목표가 궁금하지 않으신가요? 저는 다음과 같은 목표를 설정했습니다.

1. 매일 수업 내용 복습하기
2. 매일 영단어 10개씩 외우기
3. 매일 성경 1절이라도 읽기

이 중 2번 목표를 제거하였습니다.

그 이유는 다음에서 다루도록 하겠습니다.

100일 전의 나

챌린지를 시작할 당시 저는 조기졸업이라는 목표를 가지고 있었습니다. 당장 제가 달성하고 싶은 목표이자 저에게 가장 중요한 목표였습니다. 하지만 조기졸업을 위해서 매 학기 많은 학점을 수강하며 평점평균 4.0 이상을 유지해야 하는 상황이었습니다. 이에 저는 챌린지를 진행하던 학기도 최대 수강 가능 학점인 22학점을 수강하는 중이었습니다. 더불어 이번 학기는 특히 학기 종료 후 대학 생활 중 딱 한 번뿐인 조기졸업 신청 시기가 다가오기에 4점대 초중반의 학점을 지닌 저에게 이번 학기의 성적은 매우 중요한 시기였습니다. 이에 저는 학업에서의 고득점을 위해 매일 복습하기라는 목표를 1번 목표로 설정하였습니다.

다음으로 저는 졸업과 동시에 취업이라는 큰 꿈을 가지고 있었기에 취업 준비 또한 놓을 수 없었습니다. 이른 취업을 위해 1학년 때 5개가량의 대외활동을 병행하였으나 2학년 때에 성적 향상을 목표로 학업에 집중하는 탓에 대외활동을 포함하여 스펙을 쌓아두지 않았습니다. 3학년에는 조기졸업 신청에 따른 결과가 나오고 여유가 있다고 판단하여 다시 대외활동을 시작할 계획이었으나, 아주 기초적인 어학성적도 가지고 있지 않아 겨울방학 때에 어학 공부를 시작할 계획이었습니다. 평소 외국어에서 약점을 보이던 저인지라 100일이라는 시간 동안 매일 10개씩 총 1,000개의 단어를 암기하며 조금씩 준비할 계획으로 매일 10개의 단어 암기라는 목표를 설정하였습니다.

목표 달성을 위한 노력

앞서 말했듯이 저는 세 가지의 목표를 설정하였습니다. 1. 매일 수업 내용 복습하기 2. 매일 성경 읽기 3. 매일 영단어 10개씩 외우기. 저는 위의 목표를 달성하고자 날짜별로 구분되어 있는 영어 단어장을 구입하고 매일 약간의 성경 구절을 읽을 수 있도록 구성된 성경 책자를 구입하였습니다.

이후 영어 단어장과 성경 책자에 적힌 일자별로 학습하고 읽으며 목표를 달성하고자 하는 계획을 세웠습니다. 더불어 첫 번째 목표 달성을 위해 플래너를 구입한 후, 매일 학교에서 수학한 내용에 대한 복습 계획을 작성하였습니다.

현명한 목표 설정 방법을 깨달은 나

저는 앞서 말했듯이 세 가지의 목표를 설정하며 현명한 목표 설정의 중요성을 깨달았습니다. 현재 저의 위치에 대한 객관적인 진단을 거치지 않은 채 무리한 목표를 세우니 초반엔 챌린지가 나를 위한 발전보다는 의무감으로 느껴졌습니다. 이후 저는 수업에서 배운 대로 실현 가능한 목표를 세우는 데에 초점을 맞추고 세운 목표를 진단하였습니다. 수업 시간에 배운 우선순위를 선정하는 방법을 활용하여 구체적인 일정별로 제가 달성해야 하는 성과를 계획하였고, 결론적으로 매일 영어 단어 외우기라는 목표를 잠정 연기하였습니다. 사실 처음 오리엔테이션 때 세 가지의 목표를 달성하겠다고 당차게 말하여서 (어느 누구도 뭐라 하지 않았지만) 내뱉은 말을 지키지 못한 저 스스로가 부끄러웠습니다. 하지만 한 가지 목표를 내려놓고, 스스로를 다시 진단하여 제가 달성할 수 있는 수준의 목표를 설정하니 챌린지에 대한 부담이 사라지고 점점 나의 발전을 위한 활동이라는 것이 체감되었습니다. 이 경험을 통해 저는 목표를 가능한 한 높고 정확하게 세우되, 자신이 달성할 수 있는지 객관적으로 진단하여 세우는 실현 가능한 목표의 중요성을 깨달았습니다.

목표 달성을 위한 하루 계획

저는 매일 같은 활동을 수행하며 장기적인 목표를 달성해 본 경험은 이번이 처음이었습니다. 그렇지만 꾸준히 해내 100일 챌린지를 성공적으로 끝내고 싶었습니다. 그렇기에 하루를 분할하여 시간을 관리하는 것은 매우 중요했습니다. 저는 다음과 같이 하루를 계획했습니다. 평일에는 오후 6시

30분경 집에 도착하였기에 도착하자마자 운동하고 씻고 밥을 먹는다면 오후 9시 정도가 되었습니다. 오후 9시부터는 매일 학습한 내용을 복습하기 위해 침대에 눕지 않고 바로 책상에 앉을 수 있도록 노력하였습니다. 이후 복습을 다 끝내기 전까지 책상에서 일어나지 않으려고 노력하였습니다. 복습을 다 끝내고 책상에서 일어나기 직전 성경 읽기라는 목표를 달성하고자 시간을 분배하였습니다.

더불어 100일 챌린지를 성공적으로 마치기 위해 다음과 같이 우선순위를 결정하였습니다. 가장 중요한 1순위는 조기 졸업을 위한 평점평균 4.0을 달성하는 것입니다. 사실 챌린지 시작 전에도 이미 달성한 상황이었지만 이번 학기 때 삐끗하면 4.0 미만으로 내려갈 수 있었기에 해당 목표는 매우 중요했습니다.

두 번째로 저의 신앙을 기르고자 매일 성경을 읽는 것인데, 이를 성과적으로 측정할 지표가 없었기에 이번 학기 수강한 기독교 과목에서 A0 이상의 성적을 거두는 것으로 두 번째 우선순위를 설정하였습니다. 해당 기독교 과목이 매일 성경 읽기라는 목표에 대한 달성 정도를 측정하기에 완벽히 적합한 척도는 아니며, 저에게 상대적으로 중요도가 낮은 과목이었기에 두 번째 우선순위에 해당할 가치를 지니지는 않았습니다. 하지만 해당 과목에서의 우수한 성적과 별개로 저는 제 신앙심을 기르고 싶었고, 제대로 된 성경 봉독을 실천하고 싶었습니다. 이에 한 가시적인 지표로 해당 과목에서의 높은 성적을 목표로 설정하였습니다. 해당 과목은 창세기부터 말라기까지 구약성서 전체를 훑는 과목이며 매주 진행되는 퀴즈 또한 이와 같은 내용으로 나옵니다. 그렇기에 위의 과목에서 A0 이상의 성적을 거두는 것을 두 번째 우선순위로 선정하였습니다.

첫 30일: 도전의 시작

앞서 말한 대로 저에게 첫 시작은 솔직히 의무와 부담으로 다가왔습니다. 이번 학기의 바쁜 스케줄을 고려하지 않고 욕심껏 목표를 세웠더니 매일 수행해야 하는 챌린지가 부담되었기 때문입니다. 제가 이후 목표를 수정하기까지는 아마 30일도 채 되지 않았을 것입니다. 이후 목표를 적절히 수정하였으나 한 번도 꾸준하게 무언가를 해본 적 없는 저에게 30일간의 출발은 힘들지 않았다면 거짓말입니다. 가끔 깜빡하기도 하고, 수업 후 약속이 생겨 정해놓은 하루 계획을 지키지 못할 때도 있었기 때문입니다. 더불어 매일 자정 전까지 업로드해야 한다고 생각했었기에 하루 안에 모든 일을 수행하기도 어려웠습니다. 하지만 사람마다의 생활 패턴에는 차이가 있다는 것을 받아들이고 제 생활 패턴에 맞게 새벽 2시쯤에 챌린지 인증샷을 올리기 시작하였습니다. 그렇게 30일 동안은 여러 시도도 해보고 여러 시간대에 올려보며 제가 어떻게 할 때 이 챌린지를 가장 완벽하게 수행할 수 있을지 탐색하는 시간이었습니다.

실패한 순간 다시 일어설 수 있던 방법

매일 꾸준히 무언가를 해본 적이 없는 저는 가끔 '아... 오늘 하루만 챌린지 쉴까?', '이미 누웠는데 인증샷을 깜빡했다.', '하루정도는 괜찮지 않을까?'라는 생각이 들며 나약해질 때도 있었습니다. 하지만 저는 스스로에게 내던졌습니다. '끈기 없는 나의 단점을 고치기 위해 도전한 챌린지 아니니? 네가 부담되지 않도록 스스로 목표도 조정하였으면서 그것도 못 지킬 거 같아?'라고 생각하며 스스로 자극을 불어넣었습니다. 누구도 강요하지 않은, 스스로 선택하고 제가 맺은 저와의 약속인데 쉽게 무너지는 사람이라는 것을 받아들이고 싶지 않았습니다.

첫 달의 학습과 성장

첫 달 동안 매일 챌린지를 수행하지는 못했습니다. 하지만 매일 배운 내용을 복습하려 하니 다음 수업에서 훨씬 높은 집중력과 이해도를 보였으며 적극적으로 수업에 참여할 수 있었습니다. 챌린지 덕에 점점 발전하는 모습이 느껴져 뿌듯하였고, 인생에서 처음으로 무언가를 해내고 있다는 느낌에 스스로 자신감이 차올라 삶에 의욕도 생기고 성장하고 있음이 느껴졌습니다.

결코 쉽지 않았던 100일

챌린지를 진행하며 하루만 쉬고 싶다는 유혹이 자주 찾아왔습니다. 정말 공교롭게도 일과를 끝내고 침대에 누웠을 때마다 챌린지를 업로드하지 않은 사실이 떠오르곤 했습니다. '이때라도 떠올라서 다행이다'라는 생각이 들기도 하였지만 때론 '아 생각나긴 했는데 너무 피곤하니까 자고 싶다'라는 생각도 들었습니다.

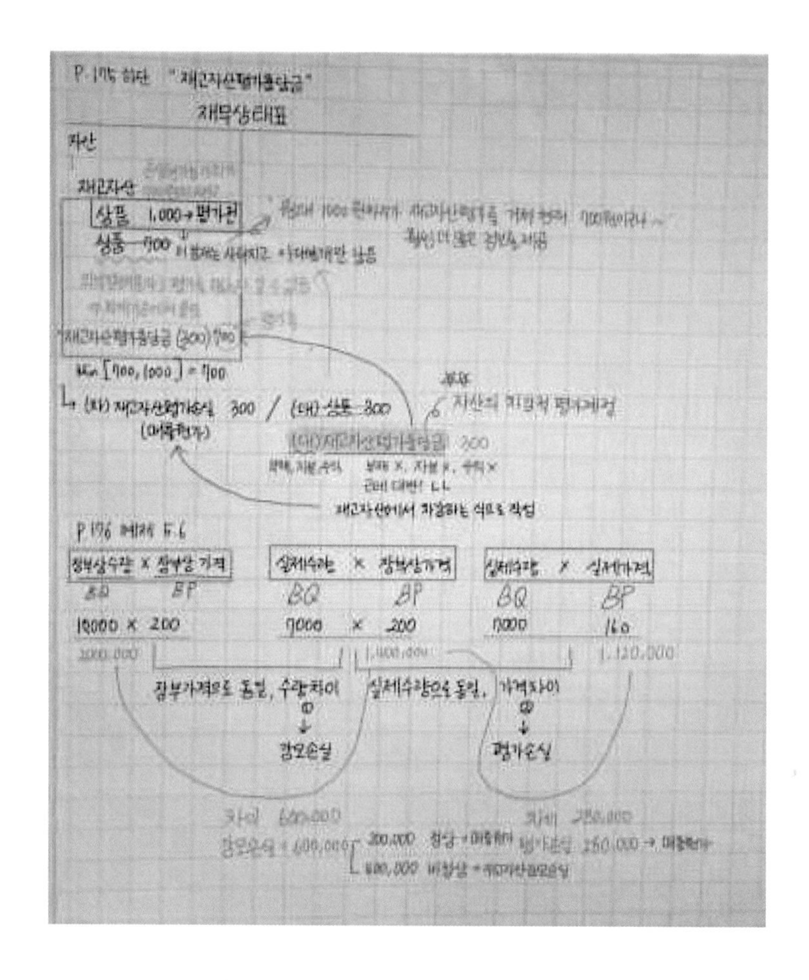

• 챌린지를 진행하는 동안 매일 복습한 흔적

그렇게 마주한 실패

사실 100일간의 여정 동안 실패한 날(업로드를 하지 못한 날)이 많았습니다. 100일을 마치는 지금에서는 피곤해서 미루던 그날도 참고 챌린지를 수행할걸 싶습니다. 많은 실패를 거듭했지만 실패할 때마다 양심에 찔리기도 하였고 실패할 때마다 후회하였습니다.

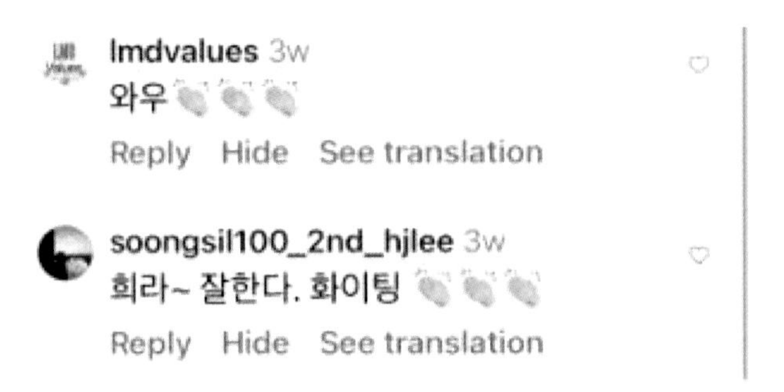

• 챌린지를 완주할 수 있었던 이유: 교수님의 관심과 응원

실패를 극복한 방법

실패를 극복하고자 저의 실패 원인을 분석하였습니다. 실패 원인은 업로드를 깜빡할 때가 많은 것이었습니다. 이에

인스타그램 인증샷 업로드를 까먹지 않도록 챌린지용 인스타그램 계정만 사용하기로 결심하였습니다. 챌린지 외의 다른 인스타그램 계정도 함께 사용하니 챌린지를 해야 한다는 것을 늘 깜빡하게 되었습니다. 다른 계정을 휴대폰에서 로그아웃한 후 챌린지를 위한 계정만 남기니 인스타그램에 접속할 때마다 챌린지를 상기시킬 수 있었습니다.

마지막 30일: 나의 100일 챌린지는 승리한 것일까?

이 글을 적는 시점은 100일 챌린지까지 단 이틀 남은 상황입니다. 승리라는 단어를 적기엔 많은 날 실패를 거듭하여 과연 이 단어가 저에게 어울리는 단어일지는 모르겠습니다. 아쉬움이 많이 남고 저에 대한 부족한 모습도 많이 발견하는 챌린지였다고 생각합니다. 개인적으로는 승리하는 방법을 터득한 시간이었다고 생각하며, 성공을 위한 첫걸음이라고 생각합니다. 다음 챌린지가 있다면 그땐 무슨 일이 있어도 100일 챌린지를 완주하여 승리라는 단어가 제게 어울릴 수 있도록 만들고 싶습니다.

有終의 美를 위한 집중 포인트

마지막 달 중 특히, 시험이 끝난 12월 말은 집중하기가 매우 힘들었습니다. 개인적인 약속이 많이 생겨 일과 후 집에 있는 경우가 드물었기 때문입니다. 그럼에도 불구하고 마지막까지 집중하기 위해서 첫날의 목표를 되새겼고, 완주 후 나의 여정을 기록하고자 하는 데 집중하였습니다. 더 의미 있고 값진 시간을 보낼 수 있도록 만들고 싶었습니다. (어쩌면 저의 100일이 헛되지 않은 시간이었다고 미화하고 싶은 심정이었을지도 모릅니다) 그렇기에 마지막일수록 열심히 하여 유종의 미를 거두고자 다짐했습니다.

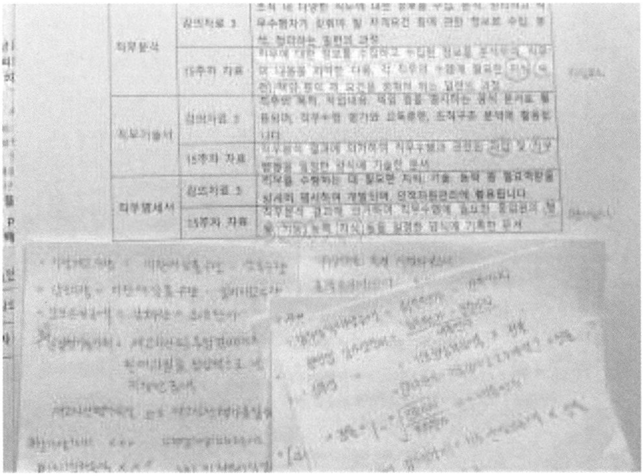

- 챌린지를 진행하는 동안 매일 복습한 흔적

막판 스퍼트

챌린지의 끝이 다가오니 지난 100일간의 수많은 실패에 대한 후회는 커졌습니다. 그날 피곤함을 이기지 못한 점, 그날 일정 속 틈틈이 챌린지를 진행하지 못한 점 등이 떠오르며 인스타그램 게시물 수가 100에 가깝지 못하여 매우 속상했습니다. 그렇기에 더욱더 달성하고자 노력하였습니다. 12월 말에 예정된 여행 캐리어에 챌린지 진행을 위한 성경 책자와 책을 담았고 여행 중에도 틈틈이 챌린지를 수행하고자 노력했습니다.

성공을 향한 도약

앞서 언급했듯이 저에게 있어 이 챌린지는 성공이었다고 떳떳하게 말하기는 힘듭니다. 하지만 결코 헛된 시간은 아니었으며, 이를 실패라고 치부할 수는 없었습니다. 그렇기에 '성공을 향한 도약'이라는 이 대목은 저의 100일과 어울리는 대목이라고 생각합니다.

100일 후 나의 모습: 그 어떤 것으로도 살 수 없는 값진 성장과 경험

100일간의 챌린지 중 저는 겨우 2/3정도 달성했습니다. 제게 있어 이 결과는 성공이었다고 말하고 싶지는 않습니다. 하지만 결코 실패라고 하고 싶지도 않았습니다. 저는 100일 동안 성취감을 맛보았고, 목표 선정의 중요성을 깨달았고, 현명한 목표 선택의 방법을 터득했고, 실패를 경험했고, 실패를 극복하는 방법을 계획했고, 수업 시간에 향상된 태도를 보였고, 성경적인 지식도 향상됨을 체감하였기 때문입니다. 제 도전은 성공을 향한 성공적인 도약이라고 부르고 싶습니다.

100일 챌린지를 진행하지 않았더라면 맛볼 수 없었던 값진 경험이기 때문입니다. 저는 100일 챌린지를 통해 얻은 경험은 다른 무엇과도 바꾸기 힘든 소중한 순간들이며 제 성장에 도움을 준 밑거름이 되었다고 생각합니다. 그렇기에 저의 100일 챌린지는 성공을 위한 성공적인 도약이었습니다.

• 100일간의 챌린지 인증

목표의 달성

결과적으로 저는 이번 학기 성적 또한 제가 원하는 수준인 4.0 이상을 받게 되었고, 저의 전체학년 평점평균 또한 4.0을 넘기게 되어 조기졸업이 가능한 상태가 되었습니다. 가장 달성하고 싶은 목표를 달성하여 매우 뿌듯하였고, 말로 설명할 수 없는 성취감을 느낄 수 있었습니다. 더불어 제가 A0 이상 취득하고자 했던 기독교 과목에서도 A0의 성적을 거두어 가시적인 목표 달성에 성공하였습니다. 해낼 수 없을 것이라 생각하던 일들이었는데 100일 챌린지 덕에 해냈다고 생각합니다.

등급	과목명
A0	인문고전으로서의성서읽기-구약편

- 목표하였던 기독교과목에서의 A0이상 달성

학기별 성적

학년도	학기	신청학점	취득학점	P/F학점	평점평균
2023	2 학기	22.5	22.5	0.5	4.29

- 목표하였던 2023학년도 2학기 평점평균 4.0 이상 달성

100일간의 교훈

100일 챌린지를 마치는 시점 글을 적으며 다시 떠올려 보니 제 100일은 참으로 값진 순간이었다고 생각하며, 100일 전의 제 모습과 비교했을 때 눈에 띄는 성장을 이뤄냈습니다. 끈기가 부족한 제가 꾸준히 무언가를 하는 것을 두려워하지 않게 되었고, 앞으로 인생을 살아감에 있어 두려움을 덜어낼 수 있었습니다. 더불어 목표 달성이라는 것이 상상 속에만 존재하던 것이 아니라는 것을 깨달았습니다. 이번 목표 달성을 통해 저는 앞으로 무슨 일을 해도 꼭 이뤄낼 수 있으리라는 자신감이 생겼습니다.

101일째의 목표

이제 저는 100일 전 다짐했지만 30일도 채 되지 않아 포기해 버린 목표인 공인어학성적 취득이라는 목표를 향해 나아갈 것입니다. 교수님과 함께하는 다음 100일 챌린지가 있다면 그땐 꼭 100이라는 숫자를 달성하고 제가 원하는 수준의 성적을 취득할 것입니다. 그렇기 위해 이번 100일 챌린지 동안 깨달은 '현명한 목표 설정 방법'을 통해 제가 '원하는 수준의 영어 성적'이라는 숫자적 목표를 현명하게 설정하는 데 심혈을 기울일 것이며, 하루 일과를 규칙적으로 설계할 것이며, 인스타그램 또한 챌린지용 계정만 남길 것입니다.

내가 책 출간을?

챌린지 중에는 이 경험이 책으로 출간될 예정이라는 것은 상상치도 못하였습니다. 그전까지 저는 '책은 작가들만 쓰는 거야'라는 생각에 사로잡혀 있었고 스스로 배운 게 없다고 생각한 저는 책을 쓰고 싶다는 마음은 있었지만 '나처럼 배운 게 없는 사람이 무슨 책을 쓰겠어'라는 마음으로 가득해 시도조차 하지 못하였습니다. 하지만 정말 감사하게도 교수님으로부터 이 경험을 책으로 출간하는 것이 어떻겠냐는 제안을 받고 책 출간은 정말 하고 싶었던 인생의 버킷리스트였기에 바로 참여하겠다고 대답하였습니다.

도전하는 자들을 응원하고 싶습니다.

처음에 저는 제 경험이 성공하지 못한 경험이라 다른 사람들에게 제 이야기를 들려주기 부끄러웠습니다. 도움이 되지 않는 글이라고 생각하였기 때문입니다. 하지만 앞선 챕터에서 글을 작성하며 지난 100일을 돌아보니 나의 100일은 가치 있는 시간이었다는 것을 깨달았습니다. 저는 100일 챌린지를 통해 몸소 얻은 소중한 경험이 많았고, 이 경험은 목표를 가진 많은 사람에게 희망이 될 것이라는 생각이 들었습니다. 더불어 저처럼 실패를 경험한 사람들에게도 도전에 대한 실패 속에는 아름다운 순간이 있었음을 알릴 수 있는 계기가 될 수 있으리라 생각되어 제 경험을 공유하고자 다짐했습니다.

책 출간을 결심하다

저는 실패와 성공을 향한 성공적인 도약을 마친 후 도전을 하는 모든 이들은 아름답다는 메시지를 전하고 싶습니다. 모든 도전이 성공으로 끝날 순 없습니다. 하지만 도전하는 순간 포기하지 않았다면 그 도전은 결코 실패로 치부할 수 없습니다. 저 또한 그랬습니다. 제 도전이 성공은 아직 아니지만 그렇다고 실패도 아니었습니다.

제 도전은 성공을 향한 성공적인 도약이었습니다. 도전을 통해 100일 전 세운 목표를 달성하였고, 돈을 주고는 살 수 없는 값진 것들을 경험하고 배웠기 때문이며, 이날의 교훈은 제 태도와 생각과 삶을 바꿔주었습니다.

이처럼 저는 도전하고 포기하지 않는 모든 이들이 아름다운, 성장의 길을 걷고 있다고 응원하고 싶습니다.

도전하는 모든 아름다운 사람들에게

저는 실패와 성공을 향한 성공적인 도약을 마친 후 도전을 하는 모든 이들은 아름답다는 메시지를 전하고 싶습니다.

모든 도전이 성공으로 끝날 순 없습니다. 하지만 도전하는 순간 포기하지 않았다면 그 도전은 결코 실패로 치부할 수 없습니다. 저 또한 그랬습니다. 제 도전이 성공은 아직이지만 실패는 아니었습니다.

제 도전은 성공을 향한 성공적인 도약이었습니다. 도전을 통해 100일 전 세운 목표를 달성하였고, 돈을 주고는 살 수 없는 값진 것들을 경험하고 배웠기 때문이며, 이날의 교훈은 제 태도와 생각과 삶을 바꿔주었습니다.

이처럼 저는 도전하고 포기하지 않는 모든 이들이 아름다운, 성장의 길을 걷고 있다고 응원하고 싶습니다.

코치의 조언을 통한 성장

이 책을 읽는 독자분들은 제가 경험한 실패를 경험하지 않으면 좋겠습니다. 그렇기에 목표를 세우는 것이 아주 중요하다고 얘기해주고 싶습니다. 목표를 설정하는 것과 동기를 부여하는 일이 없으면 결코 목표 실행을 할 수 없다고 생각합니다. 저는 목표 설정 과정에서 이현주 교수님의 '기업의 이해' 수업에서 배운 내용이 많이 도움이 되었습니다. 스스로 목표를 어떻게 설정해야 하는지 전혀 감이 잡히지 않는다면, 목표 설정을 위한 코치로부터 조언을 구하는 것은 어떨까요?

영원히 끝나지 않을 100일 챌린지

100일 챌린지는 아직 끝나지 않았다고 생각합니다. 100일 챌린지의 100이라는 숫자에는 도달하였지만 100일 챌린지로부터 시작된 열정과 도전정신, 끈기는 끝나지 않았습니다. 해당 챌린지를 통해 얻은 것들은 앞으로도 제 인생과 삶을 함께 꾸미고 꾸려나갈 것들이며 저는 실패를 마주하는 순간 2023년도 2학기 때 경험한 이 100일 챌린지를 두고두고 기억할 것이기에 저의 100일 챌린지는 끝나지 않았습니다.

100일간의 여정 동안 가장 아쉬웠던 점은 100이라는 숫자에 달성하지 못한 것입니다. 저는 다음 챌린지 때에 꼭 이 숫자를 달성할 것이고 이 목표를 이루기 위해 다음 챌린지도 반드시 함께할 것입니다. 아쉬움이 없는 순간까지 챌린지를 함께하겠습니다.

절대 포기하지 마십시오. 그 도전의 끝엔 인생에서

경험하지 못한 아름다운 경험이 기다리고 있습니다.

가장 먼저 포기하지 말라는 말을 해드리고 싶습니다. 포기하지 않는 것을 크게 배웠기 때문입니다. 포기하지 않았더니 저는 이만큼 성장해 있었습니다. 제가 100일 챌린지를 100일간 성실하게 수행하지는 못하였지만 포기하지 않았다는 이유만으로 엄청난 성장을 경험했습니다.

도전하는 독자분들, 절대 포기하지 마십시오. 도전의 끝이 어떻든 포기하지 않는 여러분들은 그 자체로도 매우 아름답고 충분히 성공의 길을 걷고 있는 사람들입니다.

100일 챌린지로부터 변화될 앞으로의 나

저는 앞으로의 제 인생에서 이번 100일 챌린지를 늘 기억할 것입니다. 100일 챌린지 때 제가 몸소 경험한 것들을 다듬어 나가며 더욱더 이상에 가까운 삶을 꾸미도록 할 것입니다. 미래에는 더 성장하여, 제가 나중에 많은 사람 앞에서 오늘날의 100일 챌린지를 더 멋있게 언급할 수 있도록 성장할 것입니다. 감사합니다.

글을 마무리하며

가장 먼저 '기업의 이해' 수강생에게 100일 챌린지에 참여할 기회를 주시고 본인께서 지닌 역량과 재능을 아낌없이 선사해 주신 숭실대학교 이현주 교수님께 감사의 말씀을 드립니다. 교수님의 수업과 100일 챌린지는 저의 삶에 생명을 불어넣어 준 것과 같았습니다. 목표 없이 방황하던 제가 교수님의 이야기를 듣고 더 큰 꿈을 꾸게 되었습니다. 교수님의 삶이 부러웠고 '나도 교수님처럼 되고 싶다'라는 생각을 하게 되었습니다. 교수님과 함께한 짧은 순간이었지만 저는 교수님처럼 되기로 다짐했습니다. 더 넓은 세상에서 배우고 경험하고, 기업에서 하고 싶은 일을 당당하게 쟁취하고, 제가 경험하고 받은 것들을 사회에 환원하는 사람이 되기로 결심했습니다. 아직도 성장 중인 저에게 교수님의 코칭은 삶의 길라잡이가 되어 주었습니다.

앞서, 저는 목표와 계획 설정이 어렵다면 코치로부터 도움을 받을 것을 추천하였습니다. 이 책을 읽는 독자분들에게 저는 자신 있게 이현주 교수님의 코칭을 추천해 드립니다. 이현주 교수님은 제가 성장하고, 저의 100일 챌린지가 성공을 향한 도약이 될 수 있게 해주신 숨겨진 비밀병기이기도

합니다. 제가 노력한 것 배후에 교수님의 응원과 사랑과 관심과 지도가 있었기에 가능한 일입니다. 저는 포기할 뻔했지만, 교수님께서는 저를 포기하지 않으셨습니다.

이날의 기억을 통해 끊임없이 성장하여 반드시 교수님과 같은 사람이 되겠습니다. 교수님과 함께한 2023학년도 2학기, 100일간의 기억, 그리고 앞으로 함께 해낼 챌린지의 순간을 절대 잊지 않겠습니다. 감사합니다. 사랑합니다. 교수님.

3.
나를 제대로 보는 도전의 과정

최원혁

챌린지

하루 30분 독서

1. 늦었지만 확실하게

제 나이 26세, 아직 저는 대학생이었습니다. 주변에서는 다들 자신만의 길을 찾아가고, 저보다 어린 친구들도 저보다 빠르게 사회인이 되었죠. 그런 모습을 볼 때마다 회피하게 되는 건 왜였을까요. 머리로는 그런 상황을 담대하고 할 일을 하자 생각했으면서, 정작 행동은 그렇지 못했어요. 마음속 깊은 곳에 초조함을 묻어 놓고 하루하루를 마냥 즐겁게만 살았죠.

그러다가 2년 동안 함께했던 학생회 친구들을 만난 적이 있었어요. 저와 가장 가까운 사람들이었죠. 그런데 지금은 아니었어요. 사회인으로서 친구들과 어깨를 나란히 할 수 없다는 생각이 들었어요. 그제야 알 수 있었죠, 제가 참 안일한 삶을 살고 있었다는 걸. 지금 생각해 보면 질투심인지 열등감인지 잘 모르겠지만 하나는 알겠더라고요. 자존감. 저의 자기 합리화인지는 모르지만, '나는 나대로 할 수 있는 것을 하면 된다'고 생각했어요. 그렇게 내가 지금 할 수 있는, 그리고 해야 하는 것들을 대충 적어봤어요. 운동, 어학 자격증 준비 등, 하나씩 적어나가다 보니 알겠더라고요. 제가 지금 뭘 해야 하는지.

2. 플러스 알파

열심히 살았어요. 아침 일찍 일어나 헬스장에 가 운동을 하고, 자격증 공부를 하고, 교회도 다니면서 참 바쁜 날들을 보냈어요. 문득 생각이 들더라고요. 저의 하루가 필수적인 것들로 채워진 게 아닌가 싶었어요. 무언가 더해져서 시너지를 낼만한 것이 없었던 거죠. 그때 교수님께서 챌린지에 대해 말씀하셨어요. 100일 챌린지. 딱 한 학기 동안 깔끔하게 마무리할 수 있는 기간이었죠. '성공하고 싶으면 일어나 이불 정리를 해라.' 많이들 들어보셨을 거예요. 틀린 말은 아니라고 생각해요. 이불을 정리하고, 양치하고, 물을 마시고, 그렇게 하루를 천천히 시작하면 마무리도 좋더라고요. 하지만 이불만 정리한다면? 정리 후에 다시 누울 수도 있고, 멍을 때릴 수도 있죠. 그게 바로 저였어요. 그 이후의 씻고, 하루를 시작하는 행동들이 습관이 되지 않은 거예요. 지금 나에게 필수적인 것을 제외하고 시너지를 낼 수 있는 활동이면서, 습관 형성을 위한 활동이기에 망설임 없이 참여를 신청했어요. 거기다 열정적으로 설명해 주시는 교수님께 진심이 느껴졌어요. 제가 낭만을 참 좋아해서 교수님의 그런 모습에 감명받은 건지도 모르겠네요.

3. 가장 쉬우면서 가장 어려운 것

저는 목표를 '독서'로 결정했어요. 한편으로 참 식상하고 쉬운 목표죠. 제가 좋아하는 소설이나 마케팅 기법에 관한 책이라면 저도 참 쉬웠을 거 같아요. 하지만 저는 인간의 욕구와 공감, 심리에 대해 탐구를 하고 싶었어요. 마케터의 길이 제 꿈인데, 사람에게 감동을 주고 설득하는 게 마케팅이잖아요. 그걸 잘하기 위해선 먼저 사람에 대해 아는 게 가장 중요하다고 생각했어요.

왜 공부가 아니라 독서로 정했는지 궁금해 할 수 있을 것도 같아요. 공부는 정해진 지식을 내 머리에 주입하고, 그걸 행동에 적용할 수 있죠. 독서는 조금 다른 것 같아요. 글을 읽으며 많은 상상을 할 수 있어요. 또한 저자의 생각과 경험을 체험함으로써 어떤 영감을 얻을 수도 있죠.

무엇보다 나의 주관이 글 속에 개입하면서 지식과 함께 지혜를 얻을 수 있다고 생각했어요. 그래서 독서를 하기로 했고, 이 글의 소제목도 위와 같이 적었답니다.

4. 진정한 독서로

제 챌린지 계획은 간단했어요. 취침 전 또는 기상 후에 30분 독서하고 사진을 찍어 기록하기로 했어요. 그리고 하루의 최고 우선순위를 독서로 했죠. 일찍 일어나 독서와 운동을 하고 학교에 가고, 오전에 루틴이 정해지니 하루하루가 보람차게 느껴졌어요. 저도 여느 남들처럼 갓생을 사는 것 같았어요. 겉보기엔 완벽했어요. 한 가지만 제외하면 말이죠. 바로 책 내용이 제겐 너무 어려웠던 거예요. 처음 보는 단어들과 저자의 생소한 화법 등등 제겐 감당하기 쉽지 않은 책이었어요. 그래서 초반엔 눈이 가는 대로 읽기만 하고 덮고를 반복했죠. 그러다 문득, 제가 전날 읽은 내용을 상기하는데 전혀 생각이 안 나더라고요. 전날 읽었던 부분을 펴보고 나서야 기억이 났어요. 그때는 '그래도 읽다 보면 괜찮아지겠지'라고 생각했어요. 대단히 오만한 착각이었죠. 페이지가 거듭날수록 내용은 더욱 어려워져만 갔고 앞의 내용을 제대로 이해하지 못하니 뒤의 내용 역시 잘 들어오지 않았어요. 설마 하고 맨 앞부분을 펴서 조금 읽어보니 처음 읽는 느낌이 들더라고요. 그 뒤로는 모르는 단어가 있으면 인터넷으로 검색해서 다시 읽어보기도 했어요. 조금은 이해가 잘 되었지만 역시 다음 날이 되면 남는 게 없었어요. 그제야 문제를 직시했고, 독서 후 독후감을 쓰는 것은 아니더라도 기억에 남는 내용을 상기하면서 함께 기록해 보자 다짐했죠. 역시 괜히 독후감이나 일기를 쓰라고 하는 게 아닌 것 같아요. 인상 깊었던 것, 재미있었던 것을 나름대로 기억해 내면서 적어 가다 보니 읽는 중에는 떠오르지 않았던 생각과 깨달음이 있었어요. 그렇게 저는 챌린지와 독서에 재미를 붙여갔고, 마냥 어렵기만 했던 책이 하나의 넘고 싶은 산으로 느껴지기 시작했습니다. 도전에 빠진 것이죠!

• 책 읽는 재미에 푹 빠진 행복한 날들

5. 작은 시련을 발판으로

독서를 최우선으로 하면서 정해진 시간에 읽는 건 좋았어요. 그런데 점점 패턴이 무너지기 시작했어요. 여러 활동으로 하루가 바빠지면서 시간이 부족해졌어요. 오전 일찍 일정이 잡혀있었던 날이었어요. 전날에 늦게 잠이 들어 당일에 기상하자마자 준비하고 나갔어요. 일정을 모두 마치고 집에 들어오니 자정이 넘어갔고 너무 피곤했던 나머지 씻고 바로 잠이 들고 말았어요. 그렇게 하루 실천을 안 하니까 아직 완전히 잡히지 않은 습관인지라 참 쉽게 무너지더라고요. 날이 지날수록 잠을 이기는 게 힘들어지고 이전에는 이유가 되지 않았던 것들도 핑계로 만들게 되면서 독서하는 게 귀찮아졌어요. 우선순위에서 독서는 가장 나중으로 밀려나게 되었어요.

한 일주일 정도 독서를 안 하니 기록하던 SNS 계정에 알람이 쌓여있었어요. '00이 게시물을 업로드했습니다'. 저와 달리 꾸준하게 챌린지를 실천하는 사람들의 기록이었어요. 주변 친구들한테도 챌린지 한다고 SNS 계정을 알려줘서 그런지 요새 왜 책 안 올리냐고 연락도 몇 번 오더라고요. 그때 생각했어요. '아, 나는 또 이렇게 못난 놈이 될 것인가.'

자존감을 가지기로 마음먹은 초심을 떠올리면서 제가 정한 규칙을 깨보기로 결정했어요. 제 하루를 다시 보니 대중교통을 타고 이동하는 시간이 하루 평균 1시간이 넘어가는 걸 발견했어요. 그래서 '정해진 시간'이 아닌 '비는 시간'을 활용하기로 했죠. 이후 저는 버스와 지하철, 기차에서도 책을 읽기 시작했어요. 책을 읽다 목적지를 지나칠 정도로 오히려 집중이 잘 된 순간들도 있었죠. 규칙과 행동을 바꾸면서 SNS에 업로드하는 사진이 다양해지는 것도 참 재미있었어요. 위에서 말씀드렸다시피 낭만을 좋아하는 저로서는 감성적인 사진을 찍는 재미까지 더해져서 다시금 독서를 이어갈 수 있었어요.

• 책 읽는 재미에 푹 빠진 행복한 날들

6. 성공과 실패의 경계 속에서

정말 어려웠던 책을 드디어 마지막 장까지 읽었을 때였어요. 게시물을 업로드하면 교수님께서 항상 응원의 말씀을 해주셨고, 저도 이 책을 다 읽고야 말겠다는 의지를 불태웠죠. 이 책을 다 읽으면 끝이라는 생각도 들었어요. 그렇게 부끄럽지만 제 인생에서 가장 어려운 책을, 가장 긴 시간 동안 완독할 수 있었어요. '조금 쉴까'하는 안일한 생각도 들긴 했지만, 저는 쉬는 것 대신 쉬운 책을 골라서 읽자고 결정했어요.

교수님 강의 시간에 어떤 학우께서 추천해 주셨던 소설책을 대여했어요. 너무 어려운 책을 읽어서인가? 이상할 정도로 쉽게 글이 읽혔죠. 한달이 넘게 겨우 다 읽은 책과 비교되게 소설은 사흘이 되던 날 완독했어요. 하지만, 그때가 고비였는데 저는 몰랐던 거 같아요. 시험 기간이 되면서 챌린지는 뒷전이 됐고, 이후 어떤 책을 읽을지 고민만 하다가 마지막이 얼마 남지 않는 기간까지 실천하지 못하고 있는 상황을 만들고 말았죠. 작은 목표를 달성했지만, 마무리를 하지 못한 셈인 거죠. 그런데 얼마 전 교수님께서 연락이 왔어요.

잘하고 있다고, 남은 기간 계속 함께 도전해 보자고. 순간 울컥했어요.

교수님께서 이렇게나 신경을 써주시고 다른 분들 또한 저와 같은 과정을 거치면서 결국 끝까지 해내고 있는데, 묘하게 이질적인 자괴감마저 들기도 했어요. 그제야 돌아보게 되더라고요. 챌린지에 대해 잊고 있을 정도로 시작 전으로 돌아간 저 자신을 볼 수 있었어요. 죄송하고 부끄러운 마음이 큰 것도 있지만 교수님의 믿음에 부응하고 싶었어요. 하지만 이미 마지막 날이 코앞이었어요.

7. 실패와 배운 것을 기억하자

맞아요. 저는 결과적으로 엄연히 챌린지에 실패했어요. 솔직히 이 글을 쓰는 과정도 부끄러운 감정 때문에 정말 힘들더라고요. 혹자는 '실패했는데 뭘 잘했다고 책까지 내는가?'라고 생각할 수도 있어요. 하지만 실패했어도 제겐 더할 나위 없이 좋은 경험이었기에 이 글을, 또 마지막 단락을 꼭 쓰고 싶었어요. 먼저 제가 챌린지의 과정과 실패를 통해 배운 것은 '나는 절대로 대단한 사람이 아니라는 것'이에요.

처음엔 꼭 끝까지 완수하자 자신했었고, 중간 과정에선 나름의 개선책을 통해 극복하면서 또 자신했죠. 그 정도의 노력으로 쉽게 되는 것이 아닌데 말이에요. 고개는 익을수록 벼를 숙인다고 하던가요. 그 말을 뼈저리게 느끼는 과정이었어요. 과도한 자신감이 오만을 부르고, 그 오만이 착각까지 불러오는 경험을 했어요.

저는 대단한 사람이 아닌데 왜 그렇게 자신했던 건지. 다른 사람들은 대단해서 도전을 하고, 성공을 할까요? 그 사람들이 원래부터 대단했을까요? 저처럼 실패하는 과정이 없었을까요? 대단한 노력만이 있는 게 아닐까요? 그런 생각이 드네요. 저의 실패를 부정하고자 하는 말이 아니에요. 이번 학기 성적이 정말 잘 나왔어요. 전부 A를 받았죠. 이건 제가 챌린지를 뒤로하고 시험을 택한 결과일 뿐이에요. 제가 택한 결과를 받아들였어요. 그리고 반성해요. 챌린지를 꾸준히 하면서 시험공부를 했어도 충분히 달성할 수 있는 결과였을지 모르기 때문이에요. 제가 그 정도로 대단한 노력을 하지 못했음에 정말 반성해요.

이번 실패를 기반으로 저는 또 다른 목표를 세웠어요. 그리고 다시 시작할 거예요. 챌린지는 끝이 났고 저에게 값진 교훈과 경험을 주었으니, 저는 그에 보답하기 위해서 딛고 일어나려고 해요. 이러한 도전과 실패들이 하나씩 쌓여서 한 번의 성공을 경험한다면, 그만한 게 또 있을까요?

이 글을 읽고 저와 같이 실패한 분들이 있다면 위로가 되었으면 해요. 저희는 모두 원래 대단하지 않아요. 그러니 괜찮아요. 작은 실패에 포기하지 않고, 겸손한 마음으로 작심삼일이라도 또 다짐하고 또 다짐해서 실천하고를 반복하는 건 어떨까요. 작심삼일이 100번이면 300일이고, 그 경험은 절대 사라지지 않으니까요.

8. 나아갈 미래

저는 저만의 챌린지에 도전해 보려고 해요. 이번엔 조금 다르게 주 5일 독서로 하루에 30페이지를 목표로 하려 해요. 그리고 다음 3기 때에 참여해서 제 경험을 공유하고 싶어요. 아마 이번에도 쉽지 않은 도전이 되겠죠. 하지만 이제 도전을 두려워하고 실패를 두려워하지 않고 계속 도전할 거예요. 저의 글을 읽어주신 모든 독자분 그리고 챌린지 동안 함께한 학우분들과 교수님 정말 감사해요. 모두 앞으로 많은 도전과 실패를 거듭하면서 결국엔 성공의 결실을 보는 날들을 맞이하길 간절히 바라며 이 글을 마칩니다.

4.

나의 오픽 도전기

김강주

챌린지

일주일 중 3일을 오픽에 투자
주제별 스크립트 작성
영어 회화 연습
오픽 모의고사 풀이

목표와 여정 소개

지난 100일 동안 나는 오픽 IH 취득을 위해 전념해 왔다. 취업 준비와 함께 영어 회화 실력 향상을 위해 설정한 이 목표는 나에게 큰 의미를 부여했다. 일주일 중 3일을 오픽 공부에 투자할 예정이다. IH 등급을 위한 노력은 계속될 것이다.

목표 설정과 계획

나의 최종목표는 어학 성적 취득으로 오픽, 토익, 토플 중에서 하나를 골라야 했다. 이 중에서 나는 시간 대비 가성비가 높은 오픽을 선택했다. 나는 일주일 중 3일을 오픽 공부에 투자했으며 각각의 날에는 주제별 스크립트 준비, 영어 회화 연습, 오픽 모의고사 풀이를 했다.

시험 기간에는 시험공부를 최우선으로 했고 시간이 남을 때 오픽 공부를 했다. 오픽 공부 내 우선순위는 스크립트 암기, 영어 회화 연습, 그리고 오픽 모의고사 풀이 순으로 정하고 이에 맞춰 진행했다.

첫 30일: 도전의 시작

처음에는 영어를 배운 지 오랜 시간이 지나 영어 회화에 대한 어려움을 겪었다. 영어의 발음과 억양을 익히는 과정이 독해와 문법과는 다른 도전이었다. 그러나 매주 스크립트 암기와 영어 회화 연습을 병행하며 오픽을 준비한 덕분에, 초기 실력과 비교해서 회화 능력이 눈에 띄게 향상했다.

IH 등급 이상을 받은 날에는 모의고사에서의 성과를 축하하기 위해 카페에서 유명한 쿠키나 케이크와 같은 보상을 준비했다. 이러한 동기 부여 방법이 계획을 지속할 수 있도록 도움이 되었다. 첫 달 동안 영어에 대한 낯선 감각을 극복하기 위한 꾸준한 암기와 회화 연습은 나의 실력을 상당히 끌어올렸다.

중간 과정에서의 도전

도전 60일 차인 11월에 나는 오픽 시험을 응시하여 나의 실력을 확인하고자 했다. 본래 오픽은 자신이 선택한 주제와 관련된 질문이 나오는 선택 질문과 무작위로 주제가 선정되어 관련 질문이 나오는 돌발 질문으로 이루어져 있다. 이 시험에서 나는 선택 질문이 아닌 돌발 질문이 대거 출제되어 말을 더듬는 등의 실수를 저질렀다. 이러한 어려움은 돌발 질문에 대한 대비가 부족했기 때문이라고 생각했다.

실패를 마주하면서, 내가 부족하다고 느낀 부분을 극복하기 위해 새로운 전략을 도입했다. 기존의 공부 방식에 돌발 주제 스크립트 암기를 추가하면서, 이 부분에 대한 대비를 강화했다. 이때, 돌발 주제 관련 자료는 같이 시험을 준비하는 대학 친구로부터 받을 수 있었다. 이를 통해 실패로부터의 교훈을 얻어 더 나은 방향으로 나아갈 수 있었다.

마지막 30일: 승리와 성취

마지막 달에는 11월의 실패를 교훈 삼아 돌발 주제에 대한 철저한 준비를 강조했다. 이를 위해 기존에 작성하고 준비한 주제별 스크립트를 다시 한 번 점검하고 보완했다. 또한, 동급생들과 함께 스터디그룹을 만들어 서로의 경험을 공유하고 모의고사를 풀면서 1월 오픽 시험에 대비했다.

시험 및 언어	OPIc(영어)
시험일	2023.11.12 (일)
유효기간 만료일	2025.11.11
수험번호	2A5417335343
성적(등급)	IM2(Intermediate Mid)
성적(점수)	-
총점	-
세부진단서	미신청

• 챌린지 60일차 오픽 도전

이번에 동료들과 함께한 스터디 활동이 큰 도움이 되었다. 서로의 강점과 약점을 파악하며, 모의고사를 통해 실전 감각을 키우고 피드백을 주고받아 나의 부족한 부분을 보완하는 데 많은 도움이 됐다. 또한 돌발 주제에 관한 토론과 예상 질문에 대한 연습을 통해 자신감을 높이는 데에도 도움이 되었다.

이렇게 마지막 달의 적극적이고 전략적인 대비 덕분에, 1월의 오픽 시험에 임하면서는 과거의 실패에서 얻은 교훈을 토대로 더욱 준비된 모습으로 시험을 치를 수 있게 되었다.

마음의 어려움과 극복

이번 100일간의 도전 중 가장 큰 어려움은 초기에 영어 회화에 대한 불안감과 자신감 부족이었다. 처음에는 간단한 대화조차 어려워 말이 잘 나오지 않았다. 그러나 매일 꾸준한 노력과 스스로에 대한 동기 부여를 통해 이 난관을 극복할 수 있었다.

처음에는 실패에서 큰 동기 부여를 얻었다. 11월의 시험에서의 실수로부터 배운 점을 근거로, 나는 부족한 부분을 보완하고자 노력했다. 돌발 주제에 대한 대비가 필요하다고 판단하여 스터디그룹을 통해 다양한 시나리오에 대해 대비를 해보았고 이를 통해 나만의 전략을 세우고 더 나은 결과를 얻을 수 있었다.

어려움을 극복하고 나아가는 과정에서는 주변의 지지와 자기 피드백이 큰 역할을 했다. 스터디그룹에서의 피드백과 친구들로부터 얻은 도움은 나를 더 나은 방향으로 이끌어주었다. 또한, 실패와 어려움을 겪을 때마다 나에게 칭찬과 보상을 주는 것이 중요하다는 것을 깨달았다. 이를 통해 자신을 더욱 믿고 나아갈 수 있었다.

챌린지 중 마음의 변화

100일 동안의 도전에서, 자신감의 상승, 실패에서의 긍정적 전환, 지지와 협업의 중요성 깨달음, 어려움을 극복하며 성장하는 즐거움, 끊임없는 발전을 향한 의지 강화 등 다양한 경험이 나의 마음과 태도를 크게 변화시켰다.

처음에는 영어 회화에 대한 불안과 자신감 부족으로 어려움을 겪었다. 그러나 꾸준한 스크립트 암기와 영어 회화 연습 덕분에 자신감이 높아지면서 언어 능력도 상승했다.

도전 60일 차 시험에서의 실패는 큰 충격이었지만, 이를 교훈으로 삼아 새로운 전략을 도입해 부족한 부분을 보완하였다. 실패를 통해 더 나은 결과를 만들 기회가 되었다.

오픽 시험을 통한 성취감은 나에게 끊임없이 발전하고 성장하는 의지를 심어 주었다. 덕분에 더 높은 목표를 향해 나아가기 위한 의지와 이를 이루어낼 자신감을 가질 수 있게 되었다.

결과 평가와 배운 점

오픽 시험을 준비하면서 얻은 성취감은 나에게 큰 자신감과 성장의 계기를 제공했다. 지속적인 노력과 계획적인 공부로 이룬 성과는 나의 영어 능력을 더욱 높은 영역으로 끌어올렸다. 오픽 공부를 마치고 나서도, 이러한 성취를 통해 새로운 도전을 받아들이고자 한다.

다음으로는 취업을 위한 다양한 경험을 쌓기 위한 준비에 집중할 것이다. 공모전 참가, 인턴 경험 등을 통해 전문성을 키우고 산업 동향을 파악하기 위해 노력할 것이다. 이를 통해 얻은 경험과 역량은 나를 더욱 경쟁력 있는 사람으로 만들 것이며, 오픽 시험을 통해 쌓은 자신감은 앞으로의 여정에서도 나를 이끌어 나가는 원동력이 될 것이다.

5.
도전이 주는 즐거움을 처음 느끼다

지혜선

챌린지

매일 30분 독서
전산회계 자격증 공부

1. 조바심을 자신감으로

긴 휴학 후에 학교로 돌아오려니 걱정이 이만저만 아니었다. 이미 졸업한 친구들, 후배들은 물론 회사에 다니는 지인들을 보면서 조바심도 났다. '나만 뒤처진 거 같은데?' '난 아직 진로도 못 정했는데 이게 맞나?' '내가 잘하는 게 뭐지?' 결론이 나지 않는 걱정들만 쌓이면서 자존감도 떨어지고 스스로 자책하는 날들이 많아졌다.

매일 구인 구직 사이트에 들어가서 나의 스펙에 맞는 회사공고를 찾아봤다. 하지만 그럴수록 더 초조해질 뿐 해결책이 되진 않았다. 생각이 쌓이니 피곤해져 나중에는 '어떻게든 되겠지, 일단 졸업부터 하자'라는 생각으로 수강 신청을 하고 학교에 다니기 시작했다.

이런 어수선한 마음으로 첫 교양수업에 들어갔다. 교수님께서 OT를 하시면서 수업 외로 진행하고 있는 100일 챌린지에 관해 설명해 주셨다. 혼자서도 도전할 수 있지만 다 같이 도전하면 동기부여를 더 잘 받을 수 있겠다고 생각했다.

이번 챌린지를 통해 진로에 대한 방향을 설정하고 나를 위한 시간으로 활용하고자 도전했다. 작은 도전들을 계속 실천해 나가면 나의 불안감도 줄이고 스스로 성장해 나가고 있다는 자신감이 생길 것 같았다.

2. 천 리 길도 한 걸음부터

100일 챌린지 시작 전 어떤 도전과제로 챌린지를 시작할지 고민했었다. 학교생활과 병행할 수 있고 매일 꾸준히 할 수 있는 일에 대해 생각했다.

어릴 때는 책을 많이 읽었는데 요즘은 1년에 2~3권 읽을까 말까 하는 수준이었다. 친구들과 대화하면서 또는 과제를 하면서 어휘력이나 문맥이 어느 수준에서 멈춰 있는 느낌을 받았다. 그리고 매년 버킷리스트였던 독서를 챌린지를 통해 달성하고 싶었다.

매일 30분씩 책 읽는 것을 목표로 정했다. 그리고 단순히 책을 읽는 것보단 중간 중간 좋았던 부분들에 대한 내 생각을 쓰고, 다 읽고 나서는 독후감을 작성하여 어휘력을 높이고자 했다.

진로상담을 통해 회계, 재무 쪽으로 취업 방향을 설정했고 이번 학기에 전산회계 자격증을 취득하고 싶었다. 목표를 2개 잡는 것이 다소 부담되어 기간을 설정했다. 챌린지 시작 날부터 중간고사 전까지는 독서, 중간고사 끝나고부터 자격증 시험 전까지는 전산회계 자격증 공부를 하고 전산회계 시험이 끝난 이후부터는 다시 독서하는 것으로 기간을 나누어 목표를 설정했다. 독서는 30분 타이머와 책 페이지로 인증했고 자격증 공부는 열품타 어플을 통해 인증했다.

다정소감 페이지 55
위선이 없는 세상에 대해 생각해보기

위선에 대해 생각할수있던 챕터

"위선을 최대한 오래 부리려고 노력하는 편이 현실적으로 훨씬 좋은 선택인것같다. 가능하다면 생애 마지막까지. 죽을때까지 벗겨지지않는 위선은 결국 선으로 세상에 남을테니까."

위선떤다. 라는 말이 부정적이지 않는 순간도 있겠구나 생각했다. 흔히 말하는 선의의 거짓말과 연결지어서 챕터를 읽었다. 선의의 거짓말, 착한 거짓말도 결국엔 거짓말이지만 남을 위해서 눈감아주는 것처럼 위선도 가식도 타인을 위해 행하다 보면 결국 착한 행동이 되는거 아닌가 ? 착한 행동을 하다보면 마음도 착해진다고 믿는 나에겐 위선도, 선의의 거짓말도 나쁘다고 생각하지 않는다.
정말 많은 공감을 할 수 있었던 챕터 !

책 페이지 123-126

"의식적인 노력을 다한다 하더라도 글은 모든 상황과 입장을 전부 담지는 못한다. 어느 한곳에서는 반드시 누수가 일어나 어떤 존재들은 빠져나가고 재제되고 소외되기 마련이다. 그 안에서 그나마 내가 할 수 있는 건 '표현'을 계속 고민하고 다듬는 일이다."

평소에 언어를 무분별하게 사용하고 어휘력이 멈춰있는거같아서 챌린지를 시작했다. 나의 문제점과 잘 맞았던 챕터.

표현을 계속 고민하고 다듬는 일 !
표현이 너무 정제되어 나의 말이 제대로 전달이 안될거같다 -> 그냥 생각나는 대로 말하자 -> 말을 막 쓰는거같은데 ? -> 말을 다듬자
이 루트가 무한반복이었다. 책을 읽고나서도 계속 고민하고 생각하는 문제

• 책 읽기 챌린지 인증

3. 나태와의 전쟁

첫 시작은 좋았다. 매일 30분씩 독서를 하니 생산적인 사람이 된 것 같았다. 평소에 책은 잘 안 읽어도 읽고 싶은 책들을 메모해 놨었다. 대부분 소설이나 수필 위주여서 재밌게 금방 읽을 수 있었다.

문제는 시험 기간 이후의 챌린지였다. 학교 시험 기간에는 챌린지를 멈추고 학업에 집중했었다. 독서는 매일 30분만 시간을 내면 가능한 챌린지였지만 자격증 공부는 매일 1시간에서 2시간, 수업이 없는 날에는 그 이상의 시간을 집중해야 했다. 중간고사가 끝나고 바로 자격증 공부라니. 나의 진로를 위해서 계획한 목표였지만 마음을 다잡는 게 힘들었다. 오늘 공부할 분량을 내일로 미뤄 유튜브만 본 적도 있고 친구들과의 약속으로 하루를 건너뛰는 날들도 있었다. 자격증 공부를 해야 한다는 생각은 갖고 있지만 책상에 앉기까지가 너무 힘들었다. 열품타 어플도 너무 익숙해져서 공부를 하는데 도움이 되지 않았다. 그래서 열품타 어플로 기록 인증은 계속하고 추가로 핸드폰 타이머를 이용하여 공부를 시작했다. 핸드폰 잠금 화면에 1시간 30분 타이머를 띄워놓고 끝날 때까지는 공부만 했다. 스톱워치보다 타이머로 할당 시간을 정해서 공부하니까 집중이 더 잘 되었다.

이때 이미 취업을 한 주변 지인들과 대화하면서 자격증을 꼭 취득해야 하는 이유에 대해 다시 한 번 생각했다. 또한 중간 점검 때 교수님의 격려를 통해 초심으로 돌아가 자격증 취득에 대한 열정을 불러올 수 있었다.

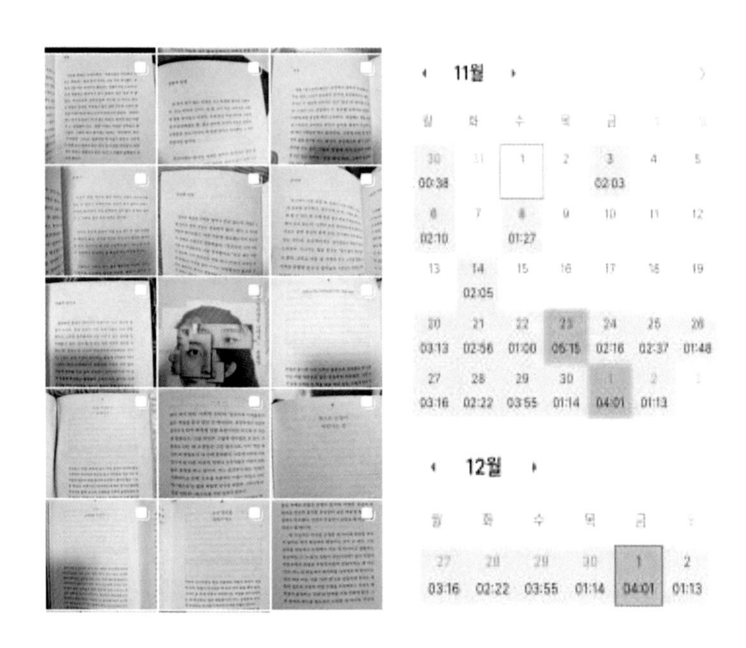

• 챌린지 인증

4. 실패해도 괜찮아

챌린지를 100일 동안 완벽히 이루진 못했다. 시험 기간 약 30일을 제외하고 39일의 인증을 완수했다. 남들이 보기엔 100일의 절반도 못 이룬 성과지만 나에게는 꾸준히 무언가에 도전했다는 것에 큰 의미가 있었다.

전산회계 자격증은 이번에 불합격했다. 합격점에서 근소한 차이로 떨어졌다. 전공과 관련된 자격증이어서 쉽게 취득할 수 있다고 생각했다. 약간의 자만심이 문제였다. 그래서 처음엔 한 달 공부 계획을 잡았지만 며칠 미루다 보니 2주 벼락치기가 되었다. 자격증 공부만 했다면 합격할 수 있었을 것 같은데 학업과 병행하는 것이 어렵다는 것을 다시 한 번 깨달았다. 비록 시험은 떨어졌지만 챌린지가 없었다면 벼락치기를 하다가 도중에 포기하고 다음 시험을 기약했을 것이다. 포기하지 않고 끝까지 공부해 시험을 치렀으니 완벽한 실패라고는 생각하지 않는다. 조금만 더 보완해서 공부하면 다음 시험 때는 꼭 합격할 수 있을 것 같다. 이번에 공부했던 경험을 바탕으로 꼭 합격에 재도전할 것이다.

늘 새해 버킷리스트였던 독서도 실천할 수 있었다. 1년에 많아야 3권을 읽던 내가 이번 챌린지 동안만 2권의 책을 완독했다. 책에 대한 느낀 점을 작성하는 시간이 즐거웠다. 부족했던 어휘력을 향상시킬 수 있던 좋은 기회였다.

하지만 독서 부분에서도 아쉬운 점이 있었다. 하루 30분 독서로 목표를 잡았더니 책 읽다 잠깐 핸드폰 확인하는 거나 졸았던 시간도 포함하여 나중에는 시간대비 책 읽는 양이 적었다. 다음 챌린지 때는 하루 30분 독서는 그대로 유지하되, 몇 권을 완독할지 또는 미리 책 리스트를 만들어서 완독하는 등 더 구체적으로 계획을 잡아야겠다고 생각했다.

이번 학기 동안 도전했던 100일의 시간이 나를 성장시켰다는 것에 확신이 생겼다. 그리고 이 확신은 100일 동안 실패를 거듭하면서도 꾸준히 도전하며 생긴 습관이 생활루틴으로 자리 잡은 결과였다.

그렇다면 이런 실패를 실패라고 할 수 있을까? 실패해도 괜찮다. 포기하지 않고 성실하게 내일을, 그다음을 완수해 나가는 것이 중요하다. 잘할 수 있다고 생각했던 일들이 실제로는 예상했던 것보다 좋지 않은 결과를 나타낼 때가 있다. 그래서 자신의 능력치라고 생각했던 것 자체를 착각이라고 느끼기도 하고 나중에는 아예 기대치를 낮추려 한다. 하지만 도전하고 실패했던 경험이 나를 성장시키는 밑거름이 된다.

실패만 해선 안 된다.

실패해도 용기를 갖고 다시 도전하는 것이 중요하다. 이런 과정들 속에서 겪은 절망감, 용기, 희망들이 다양한 나무가 된다. 다양한 나무들이 모여 실패해서 두려움에 빠져도 금방 털어낼 수 있는, 새로운 도전을 두려워하지 않는 나만의 울창한 숲을 만들어줄 거라 믿는다.

5. 챌린지로 변화된 나

나는 도전을 두려워하는 사람이었다. 도전했다가 실패하면, 실패했다는 '결과'에만 초점을 맞춰서 새로운 일에 도전하는 것에 겁을 냈다. 하지만 이번 챌린지를 통해 과정에 집중할 수 있었다. 평소였다면 100일 챌린지 도전은커녕 시도도 안 했을 것이다. 그리고 실천했더라도 100% 완수하지 못한 것에 자책하고 괴로워했을 것이다. 그러나 100일 챌린지가 끝난 지금, 오히려 다음 챌린지를 기대하고 있다. 실패를 두려워했던 내가 다음 챌린지는 어떤 목표로 도전할 것인지 고민하는 모습을 발견했다.

매일매일 인증 기록을 남길 때마다 뿌듯함을 느꼈다. 작은 도전이고 하나의 기록일 뿐인데 뭐든 해낼 수 있다는 자신감을 얻었다. 자연스럽게 불안하고 자책하는 날이 줄어들었다. 챌린지의 순기능이라고 생각한다. 나처럼 고민이 많고 도전을 두려워하는 사람이 있다면 100일 챌린지를 적극 추천한다. 작심삼일도 10번 하면 한 달이 되는 것처럼 100일 챌린지도 3번을 하면 300일을 계속 도전해 나가는 것이다. 사소한 것이라도 매일 이루고 기록하면 도전에 대한 두려움이 점차 사라질 거라 믿는다.

6. 기대되는 2024년

2024년은 나에게 있어서 중요한 해이다. 졸업과 취업이라는 큰 타이틀이 있어서이다. 이번 챌린지로 얻은 자신감을 갖고 2024년에도 새로운 도전을 이어 나갈 것이다.

챌린지가 끝난 후에도 계속해서 인스타그램에 기록을 남길 생각이다. 겨울방학인 지금 계절학기를 수강하고 있다. 회계 원리 수업이어서 전산회계 자격증을 공부하는 데도 도움이 된다. 계절학기도 듣고 자격증 공부도 하면서 2월 4일에 있는 전산회계 자격증에 재도전할 것이다. 이번에는 꼭 합격하여 4월에 있는 전산세무 자격증과 7월에 있는 재경관리사

시험에도 도전하고 싶다. 둘 다 학업과 병행해야 해서 쉽지 않은 도전이 될 것이다. 하지만 저번 학기보다는 학업이 여유로워서 이번 챌린지보다 더 구체적으로 계획을 세운다면 합격에 가까워질 것 같다. 세 자격증의 공부 기록을 꾸준히 올리고 마지막으로는 합격증까지 인스타그램에 올려 성공적인 챌린지로 만들고 싶다. 졸업 후에도 기회가 된다면 계속 챌린지를 하면서 원하는 회사에 취업하는 것을 목표로 도전해 나가고 싶다.

기억력이 좋은 편이 아니어서 기록하는 습관을 만들고 싶다. 2023년을 되돌아보니 좋았던 기억도, 힘들었던 기억도 떠오르는 것이 별로 없다. 소중하고 감사했던 기억들 또한 잊는 것 같아서 2024년에는 다이어리를 다 쓰는 것에도 도전할 것이다. 매일 감사 일기 또는 짧은 글을 쓰면 어휘력도 늘고 나에 대해 알아가는 한 해를 보낼 수 있을 것 같다.

2024년의 계획을 챌린지로 진행할 거라 생각하니 게임 퀘스트를 받은 것 같아서 재미있고 기대된다. 100일 전의 나와 지금의 나는 성격도, 마음가짐도 달라졌다. 2024년이 끝날 때는 또 어떤 모습으로 변화되어 있을지 기대된다.

7. 챌린지를 마치며

아침 일찍 일어나는 걸 정말 힘들어하는 올빼미형 인간이어서 한창 미라클 모닝이 유행할 때 도전했다가 피곤함만 얻은 경험이 있다. 나와 같은 올빼미형인 사람들은 미라클 모닝이 아닌 미라클 챌린지로 자기 계발에 성공할 수 있을 거라 생각한다.

나는 이번 챌린지를 통해 도전에 대한 두려움을 깰 수 있었고 포기하지 않는 것이 얼마나 값진 일인지에 대해 배울 수 있었다. 평소 실패했을 때 느꼈던 좌절감을 극복하는 순간 말로 설명할 수 없는 성취감을 느꼈다. 남들이 보기엔 대단한 도전이 아닐 수도 있다. 하지만 작은 물방울들이 모여 강물이 되고 나중엔 큰 바다가 되듯, 나의 작은 도전들이 내 안에 작은 변화를 일으켜 앞으로 더 큰 변화를 만들어낼 거라 믿는다.

6.
‘다음 기회에’ 보다는 ‘지금 도전’ 해봤습니다

배은진

챌린지

토익 900점을 목표로 하루에 강의 하나씩 듣고 공부하기

1. 고민보다는 저지르기

나는 살면서 나보다 더 게으른 사람을 본 적이 없다. 항상 일을 시작하면 끝마치지 못했고, 간신히 결말을 짓더라도 결과물은 용두사미일 때가 대부분이었다. 게다가 놀기도 좋아하고, 잠도 많아서 최근에 공부나 독서에 할애한 시간은 거의 없었다.

하지만 이런 삶과 달리 마음 한편에서는 자기 계발을 하는 멋진 삶에 대한 갈망이 넘쳤기에, 교수님께서 100일 챌린지를 진행하신다는 이야기를 듣고 참여하고 싶은 마음이 들었다. 하지만 심각하게 게으른 데다 놀러 다니기 바쁜 나는 챌린지를 시작해도 작심삼일로 끝나지 않을까 싶어 망설여졌다. 실제로 토익 공부를 하겠다고 마음먹고 몇 달 전에 준비한 교재는 한 장도 공부하지 않은 상태였다.

그러나 토익을 정말 공부하고 싶었고, 혼자서는 미루다가 시작도 못할 것이 뻔했기에 이번 기회를 놓치지 않기로 마음먹었다. 뒷일은 깊이 생각하지 않고 일단 뛰어드는 것이 취미인 나에게 어울리는 선택이었다.

2. 토익 900점? 그거 멋지다

영어 공부를 하고 싶다고 생각하게 된 것은 6월에 갔던 세부 여행에서 일주일 동안 영어를 쓰면서, 내 영어가 참 부족하다고 느낀 데서부터였다. 혼자 떠난 여행이었기에 외국인 친구들과 더 많이 인연을 맺을 수 있었다. 이들과 영어로 대화하는 것은 정말 재미있었는데, 나의 부족한 영어 실력 때문에 대화가 막힐 때가 있어 아쉬움이 컸다. 이는 영어 공부를 해야겠다는 결심을 하는 계기가 되었다. 처음에는 영단어 공부를 해볼까 했지만 점수화된 결과가 보이는 공부를 하고 싶어서 대표적인 영어시험인 토익을 공부하기로 했다. 토익을 공부해 놓으면 나중에 쓸 데가 있지 않을까 하는 막연한 기대도 있었다.

나는 챌린지 목표를 '토익 900점을 목표로 하루에 강의 하나씩 듣고 공부하기'로 정했다. 처음에는 목표 점수가 600점이었으나, 지나치게 쉬운 난이도라는 것을 알고는 900점으로 수직 상승시켜 버렸다. 대입 수시 원서를 세 장은 우주상향, 나머지도 상향으로 넣고 모두 떨어진 전적에 걸맞은 무모함이었다.

하지만 나는 이런 무모함이 나쁘다고 생각하지 않는다. 목표를 잡을 때 적정한 수준으로 설정해야 성취의 경험을 할 수 있다는 것은 알지만 나에게 목표는 높고 거대할수록 효과가 좋았다. 목표치가 적절하거나 다소 낮으면 '고작 그걸 이루려고 내가 이 고생을 해야 해?'라는 생각 때문에 마인드가 나태해지고 동기를 쉽게 잃었다. 그래서 대단하고 높은 목표를 세우고 그것을 이룬 내 모습을 상상하며 행복하게 목표로 나아가곤 했다. 행복한 망상을 함으로써 더 힘을 내서 노력할 수 있었다. 물론 목표를 완벽하게 이뤄냈다는 성취감은 잘 느끼지 못할지는 몰라도 높은 목표를 향해 가다 보면 발전이 빨랐다. 또한 일종의 행복한 망상 없이 목표로 가는 길은 설렘이 적기에 지루하게 느껴졌다. 그렇게 상상만 해도 설레는 목표, 토익 900점을 향한 나의 도전은 당차게 시작되었다.

3. 멋진 공스타그램의 숨겨진 뒷면

하루에 하나의 강의를 들으며 교재에 필기하고 문제도 풀어보면 20분 남짓의 시간이 들었다. 매일 하기에 그리 부담되는 양은 아니어서 분량을 적절히 잘 정했다고 생각했다.

나는 주로 잘 준비를 모두 끝낸 밤 혹은 새벽에 집에서 공부했는데, 문제가 생겼다. 밤늦게 집에 들어가거나 음주한 날에는 공부를 거르게 된 것이었다.

그렇게 게시물을 올리지 못하면 너무나 마음이 불편했다. 교수님과 챌린지의 다른 참여자들도 실망하실 것 같았고, 100일 동안 매일 게시물을 올려서 게시물 수를 100으로 만들고 싶어서 더욱 아쉬운 마음이 컸다. 그래서 술 일정이 있는 날에는 책을 들고 다니며 낮에 공부했다. 어떤 때는 만화카페에 가서도 만화책을 읽는 대신 토익 공부를 하기도 했다. 그것도 어려울 때는 다음 날 이틀 치의 공부를 해서 게시물 두 개를 올리는 것으로 조금이나마 죄책감을 덜었다.

사실 공개하지 않으려 했지만 솔직하지 못하면 떳떳하지 못한 글이 될 것 같아 알리려는 사실이 있다. 잔머리에 도가 튼 사람인 나는 게시물을 거르지 않고 올리고 싶어서 미리 강의를 두세 개씩 듣고 여분을 비축해 놓은 적도 있었다. '매일매일'의 의미를 퇴색시키게 되어 아쉽고 부끄러움이 남는 점이다.

하지만 어느 사건에나 의의와 한계는 따로 존재하는 법이다. 이틀 치 공부를 하루에 하는 잔머리를 굴린 것이 한계라면, 의의는 내가 '필사적'으로 토익을 공부했다는 것이다. 웬만한 각오로는 작심삼일도 힘든 나지만 이번 챌린지를 통해

60개의 강의와 책 한 권을 끝낼 수 있었다.

• 매일 실천하며 챌린지 인증

4. 시험을 향하여

토익 LC와 RC 강의는 각각 30강으로, 나는 목표했던 60강을 모두 듣게 되었다. 100일 챌린지에 참여하지 않았다면 끝내지 못했을 강의와 책 한 권을 다 공부하고 나니 자신감이 샘솟기 시작했다. 간단히 문제 몇 번 더 풀고 토익을 보러 가면 잘 볼 수 있을 것만 같았다. 이후 나는 실제 시험처럼 시간제한이 있는 실전 문제를 풀어보았다. 그런데 강의를 들으며 공부했을 때는 쉽던 LC 문제들이 실전에서 빠르게 흘러가니 너무 어려웠다. 첫 실전 테스트에서는 우왕좌왕하다가 답을 못 고르기도 하고, 틀리면 안 될 쉬운 문제까지 틀리게 되었다. 생각보다 많은 오답 개수를 보고 속상한 마음도 들었지만 하나하나 다시 들으며 풀어보고, 해설을 보며 틀린 이유를 찾으려고 노력했다. '지금 많이 틀릴수록 실전에서는 안 틀릴 거야'라고 생각하며, 같은 실수를 반복하지 않게 나만의 팁이나 행동 지침들을 만들어갔다. 그리고 세 번째 실전 테스트에서는 이전보다 오답을 두 배로 줄이는 진전을 이룰 수 있었다.

아직 완벽한 실력은 아니지만, 지금으로부터 약 한 달 뒤에 토익 정기 시험을 신청해 놓은 상태다. 그때까지 나머지 실전 문제를 풀어보며 오답을 줄이고 행동강령을 만드는 것이 나의 새로운 목표가 되었다. 만약 토익 시험 결과가 기대에 미치지 못하더라도, 좌절을 빠르게 극복하고 다음 시험에 또 도전할 계획이다.

5. 자신 있어서 도전한 것이 아닌, 일단 도전하고 본 것

처음에 100일 챌린지 참여를 망설이며 끝까지 실행을 이어갈 수 있을지 걱정이 태산 같았지만, 기회를 놓치는 것이 싫어서 그냥 저질러 버린 것이었다. 자신 있을 때만 시도하는 것은 나를 진전시키지 못하고, 그런 자신 있을 때도 잘 없을 것이라는 생각이 들었기 때문이었다. 나는 이번 챌린지에 참여한 선택을 정말 잘한 선택이라고 생각한다. 발전 없이 정체되고 고여 있을 뻔한 나를 진전하게 해준 고마운 챌린지이기 때문이다. 앞으로도 어떤 기회가 온다면 '다음 기회에'보다는 '저질러보자'를 선택할 것 같다.

좋은 기회가 찾아왔는데 망설이고 있는 분이 계신다면, 잘하지 못할 것 같다는 걱정이 들어도 한번 도전해 보셨으면 좋겠다. 완벽하게 해내지 못하더라도 그 과정에서 얻을 수 있는 발전은 분명히 있으리라는 생각이 든다. 자신 있어서 도전하는 것도 좋지만, 자신 없어도 도전하면 자신감의 씨앗이 될 경험을 하게 될 것이다.

이미 무언가에 도전하고 있거나 도전하기를 바라는 분이 계신다면, 그 시도에 대해 응원받는 환경을 만들어보라는 이야기를 드리고 싶다. 챌린지 게시물을 업로드하면 하루도 빠짐없이 응원 댓글이 달렸는데, 별것 아닌 것처럼 보이는 댓글의 힘은 정말 컸다. 누군가가 나를 응원하고 있다는 사실이 주는 행복은 작지 않았다. 응원해 주시는 분들이 있기에 그들을 실망시키지 않으려 더 열심히 챌린지를 이어갈 수 있었다. 또한 나도 다른 분들의 게시물에 가능한 공감을 달아드리려 노력하고 있음을 발견했다. 응원이 응원을 부르게 된 것이었다.

이 자리를 빌려 항상 나를 응원해 주신 교수님, 그리고 챌린지에 참여한 동료들께 진심으로 감사의 말씀을 전하고 싶다.

6. 어색한 변화에서 내 삶의 일부로

100일 챌린지를 통해 얻은 귀중한 배움이 있다. 변화를 만들 때는 힘이 들지만 변화가 계속 유지되어 굳어지면 더 이상 고통은 없다는 것이다. 새로운 무언가를 시도하기는 어렵지만 꾸준히 하다 보면 자연스러운 일상이 됨을 깊이 체감한 날들이었다. 어느새 나에게 토익 공부는 빠지면 허전한 하루 일과로 자리 잡고 있었고, 토익 공부를 하지 않으면 뭔가 잊어버린 듯한 불편한 마음마저 들었다. 변화가 어느새 변화가 아닌 자연스러운 일상으로 바뀐 것이다.

예전에 읽었던 책 <누가 내 치즈를 옮겼을까?>는 변화에 대한 두려움을 버리고 항상 변화를 갈망하고 맞이하라는 메시지를 담고 있었다. 좀 더 나은 사람이 되기 위해서는 가만히 멈춰 있기보다는 변화를 기대하라고 말이다. 지금 생각해보면 평소 변화에 대한 마음이 있었기에 교수님이 제안하신 100일 챌린지라는 기회를 잡을 수 있었다고 생각한다. 이번 챌린지를 통해 내 삶에 찾아온 작은 변화가 너무 뿌듯하고 감사하다. 변화가 삶으로 스며드는 과정을 생생히 느낀 계기를 만들어주신 이현주 교수님께 진심으로 감사의 말씀을 드리고 싶다. 앞으로도 끊임없이 삶에 변화를 만들고, 그 변화를 익숙한 일상으로 정착시키는 나날이 이어지게끔 노력할 것이다.

나는 챌린지가 끝나도 토익 인스타그램 계정에 공부 과정을 계속 업로드할 생각이다. 그리고 얼마 후에는 그간의 노력에 대한 결과를 담은 게시물을 업로드할 수 있기를 소원하고 있다. 토익 시험이 끝나면 결과에 따라 토익을 더 공부하거나 다른 새로운 것을 시도해 볼 수도 있을 것이다. 자격증 공부도 하고 싶고, 일러스트 학원에도 다녀보고 싶은 생각이 있다. 이 글을 읽을 누군가가 나중에 나의 계정을 봤을 때 '뭐야, 새로운 것도 시도한다더니 아무것도 안했네!'라고 생각하는 일이 없도록 열심히 달려가 볼 것이다.

7.
인생 도전을 향한 나의 첫 스텝

김현아

챌린지

일러스트 툴을 익히고 간단한 작업물 3개 완성하기

변화에 대한 도전

3학년 2학기, 교양수업 첫 시간에 교수님께서 100일 챌린지를 진행하신다는 이야기를 들었다. 처음 이야기를 들었을 때는 '100일 동안 매일매일? 지금도 바쁜데 매일 하는 건 어려울 거야.'라는 생각에 감히 도전할 생각을 하지 못했다. 그러나 이후에도 다시 한 번 교수님께서 인생에 도움이 되는 좋은 경험을 할 수 있을 것이라는 말씀을 해 주셨고 100일 챌린지에 대해 진지하게 고민해 보게 되었다.

100일 챌린지 신청을 고민하던 중에 항상 계획을 세울 때는 의지가 넘치지만, 그 계획을 이행하는 과정에서 의욕이 떨어지기를 반복하던 내 모습이 생각났다. 이런 나의 모습에 대해 항상 변화하고 싶다는 욕구가 있었지만 스스로 변화하고자 적극적으로 노력하지는 못했던 것 같았다. 그렇기에 여러 사람과 서로 목표를 공유하고 함께 도전하는 챌린지에 참여한다면, 의욕이 떨어지지 않고 꾸준히 할 수 있지 않을까 하는 기대감이 생겨 100일 챌린지에 참여하기로 결정했다.

챌린지의 과정

100일 챌린지에 참여를 결정한 후, 어떤 목표로 챌린지를 하면 좋을지 생각해 보았다. 고민 끝에 결정한 목표는 '어도비 일러스트 툴을 공부하고 간단한 작업물 만들어 보기'였다. 디자인 툴을 사용할 일이 많았는데, 본격적으로 배워본 적이 없었기에 여름방학 때 목표는 세웠지만 다른 우선순위 목표들로 인해 시도하지 못했던 '일러스트 배우기'를 목표로 잡았다.

구글링과 유튜브 검색을 통해 일러스트 독학에 대해 알아보았는데, 최근에는 유튜브 무료 강의도 자세하게 잘 나왔다고 해 유튜브 강의로 일러스트를 배우기로 했다. 챌린지 중간 목표 수정을 고민했던 적도 있었지만, 이미 어도비를 정기적으로 결제하고 있었기 때문에 목표를 수정하지 않고 그대로 할 수밖에 없었다. 지금 생각해 보니 빠르게 목표를 수정하는 것도 챌린지를 효율적으로 수행하는 데 있어서 중요하다고 생각한다.

유튜브 강의를 보며 일러스트 툴부터 차근차근 시작하고,

대회나 프로젝트 등의 일정으로 일러스트 강의를 듣기 어려웠을 때는 프로젝트를 하면서 직접 피그마나 피피티를 이용해 만든 디자인으로 그날의 챌린지를 대체하기도 했다. 현재 일러스트를 백 퍼센트 완벽하게 마스터하지는 못했지만, 일러스트를 하나도 하지 못했던 챌린지 초반에 비해 지금은 어느 정도 작업을 할 수 있을 정도로 툴을 익혔다.

함께 성장하는 챌린지

100일 챌린지를 하며 과정 중간 중간 챌린지를 이행하지 못했을 때는 스스로에 대해 약간의 실망감도 느꼈던 것 같다. 이번 학기 창업 동아리 활동과 2개의 대회 및 프로젝트, 시험 기간까지 챌린지와 겹치게 되면서 시험 기간과 프로젝트 활동이 겹친 주에는 아예 챌린지에 참여하지 못했던 기간도 있었다.

이런 상황 속에서 스스로 챌린지를 제대로 수행하지 못한 부분에 대해 아쉬운 마음이 컸다. 챌린지가 아닌 혼자서 세운 계획이라면 이런 상황 속에서 설정한 목표를 뒤로 한 채

호지부지 넘어갔을 것 같지만, 100일 챌린지에서는 항상 격려해 주시던 교수님, 같이 챌린지를 하는 분들의 응원 덕분에 잠깐 멈칫하는 기간이 있어도 포기하지 않고 계속할 수 있었다.

처음의 초심을 조금씩 잃게 되는 시기에 항상 격려의 말로 응원해 주시던 교수님과 꾸준히 인증 글을 올려주시는 분들을 통해 초심을 되찾고 열심히 해보자 마음을 다잡았다. 처음 100일 챌린지를 할까 말까 고민할 당시 다른 분들이랑 하다 보면 의욕을 잃지 않고 끝까지 노력할 수 있을 것 같아 참여를 결정한 것이었는데, 이 부분에 있어서는 100일 챌린지가 많은 도움이 되었다. 이제는 예전의 나와 다르게 잠시 멈칫하는 과정이 있어도 흐지부지 넘어가지 않고, 스스로 다시 일어나 열정적으로 도전할 수 있다.

시험 기간에 챌린지를 올리지 못했던 기간에 같이 챌린지를 하시는 분과 짧게 이야기할 기회가 있었는데, 이야기 마지막에 "챌린지도 파이팅 해요"라는 응원 한마디 덕분에 그 날부터 다시 챌린지를 하게 되었던 적도 있다.

이렇게 챌린지를 통해 서로의 응원이 동력이 되고 함께

성장할 수 있는 기회가 될 수 있음을 느낄 수 있었다. 자신의 목표에 도전하고자 하는 사람에게 모두가 함께 목표 수행 과정을 공유하며 서로를 격려하는 챌린지를 추천하고 싶다.

나의 100일 챌린지를 회고하며

나의 100일 챌린지를 회고하며 느낀 점을 바탕으로 챌린지를 할 때 고려하면 좋을 요소들을 정리해 보았다.

첫 번째는 '100일이라는 기간보다 매일매일 한다는 것에 초점 맞추기'이다. 나의 경우 학교까지 통학이 왕복 4시간인데, 어도비 프로그램을 사용하고 유튜브로 강의를 들어야 하는 목표 특성상, 인터넷이 가능하고 노트북을 열어서 사용할 공간이 있어야 했기 때문에 대중교통에서는 하기가 어려웠다. 그래서 다른 목표를 설정했다면 통학하는 4시간을 유용하게 활용하면서 매일매일 목표를 수행할 수 있지 않았을까 하는 아쉬움이 들었다. 이 챌린지의 포인트는 '매일매일' 하는 것이기 때문에 시간과 장소에 구애받지 않는 목표가 좋을 것이라고 생각한다.

두 번째는 '챌린지를 통해 성취감을 즉각적으로 느낄 수 있는 목표 설정하기'다. 나는 단지 '일러스트를 배우고 간단한 작업물 만들기'를 목표로 하다 보니, 목표가 너무 추상적이고 하루마다의 계획이 있지 않았기에 성취감을 즉각적으로 느끼는 데 어려움이 있었다.

하지만 이러한 목표가 아닌 '하루에 책 10장씩 읽기', '하루에 10분씩 자전거 타기' 등과 같은 목표라면 매일매일 완료할 때마다 성취감을 얻고, 이를 동력으로 꾸준히 챌린지를 참여할 수 있을 것 같다고 생각한다.

세 번째는 '챌린지 기간에 맞는 목표 설정을 통해 효율적으로 챌린지 수행하기'다. 나의 경우 챌린지 기간이 시험 기간, 프로젝트 기간과 겹쳐 있는 것을 고려하지 못하고 목표를 설정했는데, 만약 다시 돌아가게 된다면 시험 기간과 프로젝트, 통학을 하면서 내가 챌린지에 투자할 수 있는 시간이 얼마인지 생각해 보고 그에 맞는 목표를 설정할 것 같다. 해당 기간에 적절한 목표 설정을 통해서 챌린지를 보다 효율적으로 수행할 수 있을 것이다.

마지막은 '목표를 최대한 구체적으로 계획하기'다. 구체적인 목표 설정은 원활한 챌린지 수행을 위해 필수적이라는 것을 느낄 수 있었다. 처음 목표를 세울 때 교수님께서 최대한 구체적으로 세워보라고 하셨는데, 챌린지가 끝난 후 그 이유에 대해 절실히 느끼게 되었다. 위에서 언급했듯 추상적인 목표는 성취감을 느끼기 어렵고 무엇보다도 '이 정도면 되겠지?'라는 생각으로 챌린지를 하다 보면 목표를 제대로 수행하는 데 어려움이 있다.

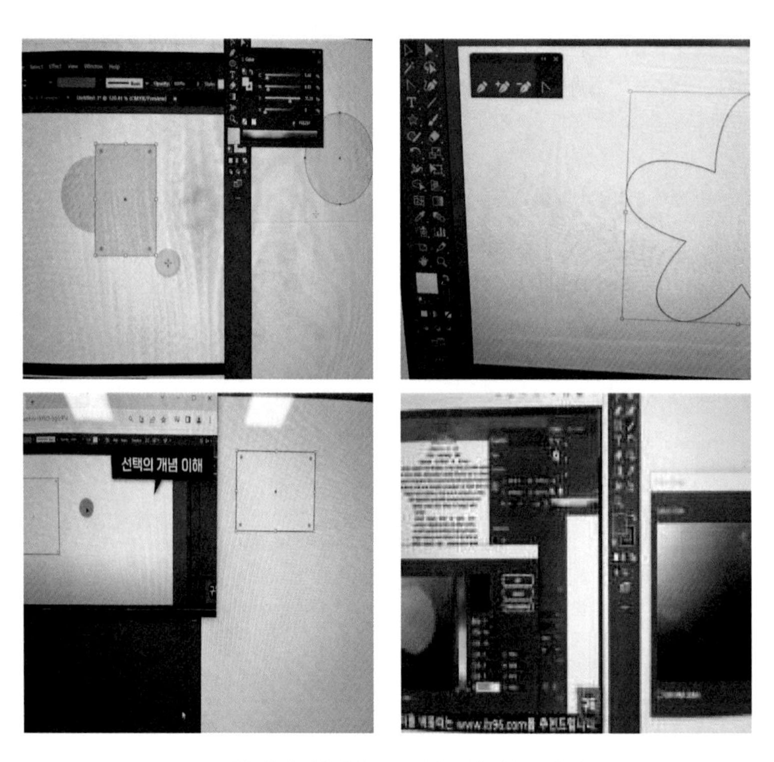

• 챌린지 일러스트 툴을 익히는 과정

100일이라는 기간 동안 목표를 설정하고 실행한 경험은 이번이 처음이었다. 교수님께서 책을 써볼 의향이 있냐는 질문을 주셨을 때 '100일 동안 매일 빠지지 않고 챌린지를 수행하지 못했는데, 내 챌린지 후기를 통해 다른 사람에게 도움을 줄 수 있을까?' 고민되기도 했지만, 교수님께서 지금까지 잘 해왔고 이 과정을 진정성 있게 담으면 된다고 해주셔서 책을 쓰기로 결정했다.

지금은 내가 후회 없는 좋은 결정을 했다고 생각한다. 책을 쓰지 않았다면 스스로 나의 챌린지 과정을 회고할 기회가 없었을 것이고, 그렇다면 다음 도전에서도 같은 실수를 반복했을 것이다. 스스로의 도전을 되돌아보면서 나의 문제점을 확인하고, 다음 도전 목표를 설정하고 수행할 때는 잘할 수 있을 것이라는 믿음이 생겼다. 또한 내가 나의 경험을 공유함으로써 다른 분들도 100일 챌린지를 수행하고 목표를 설정할 때 조금이나마 도움을 받을 수 있을 것이라 생각한다.

앞으로의 도전

챌린지를 하는 '매일매일'이라는 시간이 당시에는 5분, 10분 정도로 길지 않게 느껴지지만, 그 매일이 계속해서 축적된다면 어마어마한 결과를 보여준다. 그렇기에 챌린지와 같이 매일 무언가를 지속적으로 하는 습관은 생산적인 일상을 위해서 꼭 필요하다. 챌린지를 하면서 이런 중요한 시간을 나의 관심 분야 학습에 도움이 되는 목표를 세워 수행하는 데 사용한다면, 지식을 쌓고 스스로도 성장하는 생산적인 챌린지를 할 수 있을 것 같다고 생각했다.

100일 챌린지에서 챌린지를 수행하지 못했던 시간들이 아쉬워 한 달간 나만의 챌린지를 다시 수행하려고 하는데, 이번 챌린지에서는 아쉬웠던 부분들을 보완해 매일매일 챌린지를 수행할 수 있도록 할 것이다.

2024년에는 금융 공부를 해보고 싶다. 관련 시사 이슈도 공부하고 금융이나 경제에 관련된 자격증을 딸 예정인데, 이 부분에서 내가 100일 챌린지를 하며 얻었던 교훈을 참고해 체계적으로 목표를 세우고 성실히 수행할 것이다.

1월 한 달간은 ADsP 자격증 공부와 함께 할 수 있는 간단한 챌린지를 하고자 한다. 매일매일 하는 것에 초점을 두는 것이 중요하다 보니 한 달 동안 하는 챌린지라면 자격증 같은 공부보다는 매일매일 할 수 있는 신문 읽기와 뉴스레터 읽기를 목표로 정했다. 요즘은 종이 신문이 아니어도 인터넷만 들어가면 신문을 읽을 수 있고, 간단하게 휴대폰에 정리하기도 쉽기 때문에 시간과 장소에 구애받지 않는 점이 좋다고 생각했다. 단순히 '신문 읽고 정리하기'가 아닌 '매일 하나의 경제(금융/증권) 카테고리 기사를 읽고 모르는 용어 정리, 간단 내용 요약 + 평일마다 오는 경제 뉴스레터 UPPITY 매일 읽기'로 구체화했다. 100일 챌린지의 경험 덕분에 2024년 1월 한 달간의 목표를 현실적이고 구체적으로 세울 수 있었다.

나에게 100일 챌린지는 '앞으로의 도전'을 위한 '도전'이었다. 100일 챌린지를 통해 앞으로 이루고 싶은 목표에 대해 깊이 생각해 볼 수 있게 되었다. 성취하고 성장하는 일상에서 삶의 가치를 느끼는 나이기에 앞으로도 다양한 목표를 세우고 100일 챌린지에서 느낀 것을 경험 삼아 도전하며 성장해 나가겠다고 다짐한다.

챌린지를 마치며

챌린지를 마치며 이 글을 읽는 독자들에게 가장 중요하다고 말하고 싶은 건 '도전할 수 있는 용기'이다. 만약 내가 이 챌린지를 시도조차 하지 않았다면, 목표를 설정하고 수행하는 데 필요한 인사이트를 얻지 못했을 것이고 다른 도전을 할 마음도 가지지 못했을 것이다.

도전한다고 해서 무조건 큰 목표일 필요는 없다. 작은 목표라도 매일매일 하다 보면 작은 성공들이 큰 성공까지 연결될 것이다. 비록 성공이 아니더라도 도전하고 성취해 나가는 과정에서 얻는 경험들이 자기 자신이 성장하는 데 큰 도움이 될 것이라고 믿는다.

마지막으로 100일간 열심히 챌린지를 하며 소중한 경험을 공유해 주신 100일 챌린지 2기 멤버들과 스스로 변화할 수 있는 좋은 기회를 제안해 주시고 끊임없이 격려해 주신 이현주 교수님께 정말 감사드린다는 말씀을 전하며 글을 마무리한다.

8.
한국의 미얀마 사업가로 성장하는 꿈

때위이소

챌린지

한국어 발음 고급 레벨로 올리기

도전적인 목표 설정

저의 부모님은 고등학교도 졸업하지 못했습니다. 그리고 우리 집은 아주 잘 사는 집도 아니라서 부모님은 저의 교육이나 저의 꿈에 대해 관심을 가져주실 시간도 없었습니다. 부모님은 하루하루 먹고살고, 자식 4명을 키우기 위해 돈을 열심히 벌어야만 했기 때문입니다. 그래서 저는 부모님께 조금이라도 도움을 드리고 행복을 드리기 위해 제가 할 수 있는 것부터 열심히 했습니다.

그 결과 어렸을 때부터 형제자매 중에 제가 가장 공부를 잘하게 되었고, 부모님은 이런 저를 보면서 친척과 이웃들에게 자랑하셨습니다. 저는 부모님이 행복해하는 모습을 보고 저도 기뻤고, 더 많은 긍정의 힘을 받았습니다. 이런 좋은 상황이 반복되면서 부모님께 효도하기 위해 시작한 공부가 고등학교를 졸업할 때 좋은 점수를 받고 미얀마에서 열 손가락 안에 드는 좋은 대학교인 양곤외국어대학교 한국어 학과에 입학하는 결과로 이어졌습니다.

제가 여기서 하고 싶은 말은, 우리는 꿈이나 목표를 가질 때 왜 해야 하는지 그 이유를 먼저 찾는 것이 중요하다고 생각합니다. 왜냐하면 아무 생각 없이 하는 목표는 이루기 힘들고 힘들면 쉽게 포기하기 때문입니다.

그래서 제가 처음으로 목표로 삼았던 부모님을 위해서 효도하자는 생각이 학업 성적을 올리고, 좋은 대학교에 입학하는 결과를 가져왔다고 생각합니다.

목표를 포기하려고 했을 때 응원해 주는 사람/ 격려해 주는 사람/ 도와주는 사람을 찾는 것도 중요하다

제가 양곤 외국어 대학교 한국어 학과에 입학했지만, 한국어 공부는 저에게 아주 어려웠습니다. 왜냐하면 저는 내향적인 사람이라서 한국어를 열심히 배워도 한국말이 입 밖으로 안 나왔습니다. 사람들과 말하는 것을 불편해하는 편이라서 한국어로 말하는 것이 아주 어려웠고, 제가 하는 말이 틀리거나 실수하는 것일까 두려움도 많았습니다. 그래서 수업이 끝나면 집에 가서 쉬지 않고 한국어 학원에 다니고, 한국어를 누구보다 더 열심히 공부했습니다.

하지만 한국어는 쉽게 늘지 않았고 한국어를 포기하려는 생각도 했습니다. 자신감이 점점 사라지고 어디로 도망치고 싶다는 생각도 들었습니다. 그래서 제가 다니고 있던 한국어 학원 강준식 선생님께 한국어를 포기하고 회계를 공부하고 싶다고 말씀드렸습니다. 제가 이렇게 방황하고 좌절하고 있을 때 강 선생님은 저에게 한국어를 배우면 어떤 것이 좋은지 알려 주셨습니다. 그때 미얀마에는 한국어를 배우는 학생이 별로 많지 않아서 제가 지금부터 한국어를 열심히 배우면 다른 어떤 것보다도 저의 꿈을 이루는 데 도움을 줄 수 있다고 잘 인도해 주셨습니다. 언어는 때가 있고, 열심히 단기간만 하는 것보다 꾸준히 오랜 기간 계속하는 것이 중요하다고 말씀해 주셨습니다. 그리고 저한테 한국어뿐만 아니라 컴퓨터를 사용하는 방법과 기본적인 워드, 파워포인트, 동영상 편집을 가르쳐 주셨습니다. 시간이 많이 지났지만, 강 선생님께 다시 한 번 감사의 말씀을 드립니다.

여기서 제가 하고 싶은 핵심 내용은 우리는 꿈을 이루기 위해 노력할 때 너무나 힘든 과정을 겪기 마련이라는 것입니다. 그때 우리는 혼자 하지 않고 누군가의 손길이 필요하면 우리한테 도움을 줄 수 있는 사람을 찾는 것도 중요합니다. 물론 모든 사람이 우리를 잘 도와 줄 거라고 믿으면 안 됩니다. 우리를 도와 줄 수 있는 사람을 찾을 때까지 주변 사람을 잘 살펴봐야 합니다. 너무 급하지 않게 시간을 두고 찾아보는 것도 좋다고 생각합니다.

지금은 강 선생님 덕분에 한국말을 잘 할 수 있을 뿐만 아니라 한국에 장학생으로 와서 숭실대 경영학과를 우등상을 받고 졸업했습니다.

강 선생님 외에 제가 도움이 필요했을 때 도와주셨던 분을 또 만날 수 있었습니다. 그분은 바로 이현주 교수님입니다. 이현주 교수님을 저는 숭실대학교에서 서비스 마케팅 수업을 들었을 때 만나게 되었는데 교수님께서 수업을 재미있게 가르쳐 주셨고 학생들이 코칭이 필요하면 무료로 코칭해 주신다고 하셔서 제가 코칭을 신청했습니다. 저는 코칭을 받으면서 미래 목표를 세우는 데 많은 도움을 받았습니다. 특히 교수님께서 저를 인정해 주시고 응원하시는 말들이 꿈을 이루는 데 너무나 큰 도움이 되었습니다.

저는 2022년 2월에 숭실대학교 경영학부를 졸업했습니다. 시간이 많이 지났지만, 교수님은 아직도 저를 기억해 주시고 교수님께서 진행하시는 100일 챌린지 1기와 2기에 참여할 수 있도록 배려해 주셨습니다. 그리고 제가 목표를 향해 나가는데 계속 응원하고 도와주고 계십니다. 이현주 교수님 정말 감사드리고, 앞으로 교수님의 멋진 제자가 될 수 있도록 노력하겠습니다. 믿고 지켜봐 주시기를 바랍니다.

100일 챌린지에 선택한 목표, 그리고 왜 그 목표를 선택했는지를 얘기할게요.

저는 여러 가지 목표가 있고 그 목표를 이루기 위해 항상 노력하고 있습니다. 제가 많은 목표를 이루기 위해 가장 먼저 노력해야 하는 것이 저의 한국어와 영어 실력을 향상하는 것으로 생각합니다. 저는 한국어를 외국인치고는 잘할 수 있는 편이지만 아직 한국인 수준에는 미치지 못하고 있습니다. 전문가가 되기 위해서는 지속적인 노력이 필요하다는 것을 알고 있습니다. 제가 전문가가 되기 위해서는 한국 관련 정치, 사회, 경제, 문화 등 다양한 지식을 알아야 한다고 생각합니다. 그래서 제가 100일 성공 1기 챌린지에는 100일 동안 책을 읽고, 책에 있는 중요한 내용을 한글로 쓰는 연습을 했습니다.

'숭실100일성공1기' 챌린지를 끝내고 제가 TOPIK(한국어능력시험)을 봤는데 항상 어렵게 느껴졌던 쓰기 문제가 쉽게 생각되었고 점수도 잘 나왔습니다. 그 결과 TOPIK 시험에서 최고 레벨인 6급을 쉽게 받을 수 있었습니다.

그리고 저는 '숭실100일성공2기' 챌린지에도 참여했습니다. 2기에는 제가 한국어 발음을 연습하고 영어 공부를 하는 것으로 저의 목표를 정했습니다. 한국어 발음 연습은 한국 뉴스를 보고 했고, 발음 연습을 하는 것을 동영상으로 기록을 남겼습니다. 동영상을 만든 이유는 챌린지가 시작할 때와 끝날 때 얼마나 발음이 얼마나 많이 변했는지 확인하고 싶었기 때문입니다. 그리고 영어를 하루에 1시간씩 학습 하였습니다.

저의 큰 꿈은 한국어와 영어를 기초라고 생각하여 기초가 튼튼해 위로 올라갈 때 문제가 없는 것입니다. 제가 많은 일을 하고, 많은 사업을 하기 위해서 여러 분야의 지식을 책이나 인터넷 사이트를 통해 배워야 합니다. 그때 미얀마어로 되어있는 책이나 사이트가 많지 않고 영어나 한국어로 되어 있기 때문입니다.

미얀마 외 다른 나라에 많은 사업을 확장했을 때나 외국인들과 같이 일할 때도 영어와 한국어가 기초라고 생각했기 때문입니다. 지금도 저는 미얀마의 한국어 어학원을 운영하는 사업을 하고 있습니다.

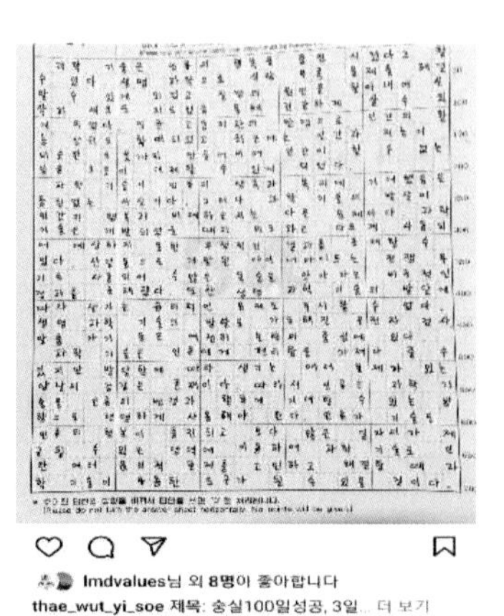

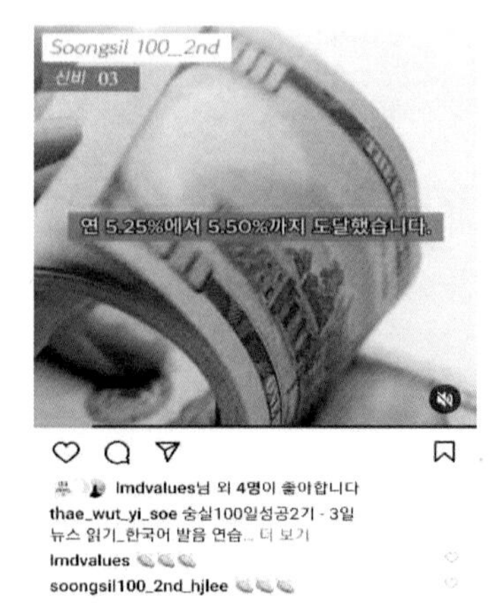

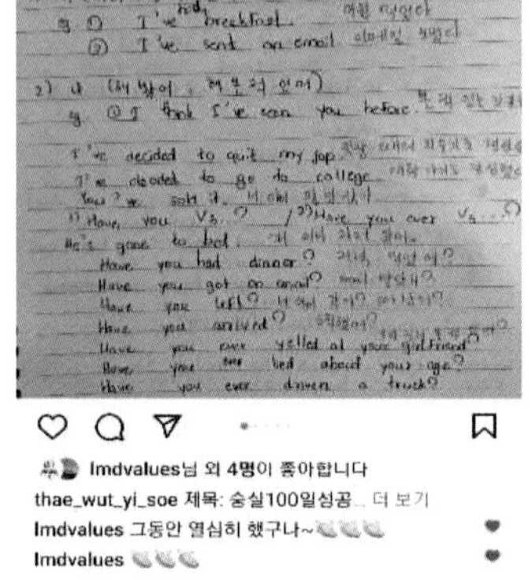

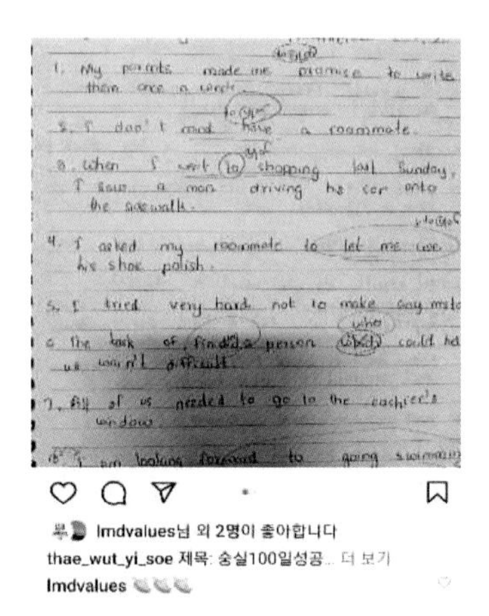

- 한국어 발음을 위한 다양한 학습법을 활용하고 인증

시간 관리 및 우선순위 결정

시간은 일주일씩 미리 짜서 가능하면 정해진 시간에 하도록 합니다. 시간 날 때 한다고 하면 까먹거나 게을러져서 쉽게 미룰 수도 있습니다. 그리고 저는 언어 공부를 할 때는 중요한 것이 인내심과 집중력이라고 생각합니다. 2~3시간을 대충 배우는 것보다 자기가 가장 집중하기 좋은 시간에 30분이라도 재미있게 배우는 것이 좋다고 생각합니다.

초기 어려움과 극복

챌린지 도전을 하면서 예상치 못한 일들이 생기는 날도 있습니다. 그때마다 포기하고 싶은 마음이 생겼습니다. 혼자 챌린지를 한다고 하면 벌써 포기했겠지만, 교수님뿐만 아니라 여러 사람과 함께 챌린지를 하니까 쉽게 포기할 수가 없었습니다.

독자에게 남기고 싶은 마음

저는 이현주 교수님을 보면서 여러 가지 배운 점이 많았고 지금도 배우고 있습니다. 저도 교수님처럼 누군가의 목표와 꿈을 이룰 수 있도록 응원하고 격려하고 도와주는 사람이 되고 싶고, 될 수 있도록 꼭 노력하겠습니다.

9.
성장의 즐거움을 알게 해준 챌린지

강예훈

챌린지

하루 5시간 이상씩 토익 공부하기

1. 다가오는 취업 문제와 걱정

나는 4년의 대학 생활을 끝내고 졸업을 앞둔 학생이다. 대학 생활을 하는 동안 나는 부모님에게 용돈을 받지 않고 경제적으로 독립을 하고 싶었다. 그래서 생활비를 마련하기 위해 학업과 아르바이트를 병행하였고 그로 인해 졸업이 얼마 안 남았을 때 내가 가지고 있는 건 부족한 회계성적을 만회하기 위해 취득한 전산회계 1급 자격증뿐이었다.

특출난 스펙이 없는 나는 슬슬 인생에 대해 걱정이 되기 시작했다. 취업은 잘할 수 있을지, 앞으로 어떻게 살아가야 할지 무슨 직업을 가져야 할지 등등 여러 고민을 하던 중 일단 기본적인 자격증인 공인영어 성적(토익)을 방학 때라도 취득해야겠다고 결심하였다.

목표를 정하고 계획을 세우던 중 예전에 '서비스 마케팅'이라는 전공 강의를 하신 이현주 교수님께서 목표 달성 챌린지 100일을 같이 해보겠냐고 연락이 왔다. 수업 때 열정적인 가르침뿐만 아니라 개인적인 상담을 위해 기꺼이 귀중한 시간을 내주신 교수님은 내가 존경하는 교수님 중 한 분이었다. 그래서 나는 교수님과 함께하는 프로젝트라면 나에게 좋은 영향을 끼칠 수 있다고 확신하였고 기대하는 마음으로 100일 챌린지를 신청하게 되었다.

2. 토익 950점을 목표로 세우다!

챌린지에 참여를 결정하고 나서 나는 목표를 토익 950점으로 정하였다. 남들이 볼 때는 첫 번째 목표로는 좀 높다는 생각이 들 수도 있겠지만 나는 목표는 높이 잡을수록 좋다고 확신하였고 주변 친구들의 말을 들어보니 대기업에 가려면 그 정도는 기본이라고 해서 이왕 하는 거 열심히 해보자는 마음으로 과감하게 목표를 정하였다.

나는 목표를 정하고서 이를 달성하기 위한 세부 목표를 정하였다. 세부 목표는 다음과 같다.

1. 하루 토익 공부에 5시간 투자하기
2. 학교에서 제공하는 토익 인터넷강의를 매일 듣기
3. 100일 동안 토익 시험 2번 이상 응시하기

첫 번째 세부 목표로 5시간 이상 공부하기를 결정한 이유는 매일 달성해야 하는 목표가 내 수준에서 현실적으로 가능해야 하기 때문이다. 만약 좀 더 욕심을 가진다면 8시간 이상으로 목표를 잡을 수는 있겠지만 못 지키는 날들이 생길 것이다. 그래서 나는 적당하게 5시간 정도로 목표를 세우게 되었다.

두 번째 세부 목표인 인터넷강의를 듣기로 한 이유는 경제적인 부분과 전문성을 고려하였기 때문이다. 학교에서 무료로 인터넷강의를 제공하였기 때문에, 학원에 가는 것보다는 집에서 강의를 듣는 것이 경제적인 측면에서 괜찮다고 생각하였다. 또한, 독학하는 것보다는 토익 전문 강사의 도움을 받는 것이 문제 풀이 스킬이나 공부 방법에 대해 더 잘 배울 수 있다고 생각했다.

마지막으로 챌린지 과정 중 중간마다 토익 시험을 응시하기로 한 이유는 시험 결과에 따라 어떤 부분이 부족한지 그리고 공부 방법을 어떤 방향으로 다시 계획해야 할지를 판단하는 좋은 정보가 될 수 있기 때문에 챌린지 중간마다 시험을 보기로 했다.

3. 빨리 찾아온 위기

초반 일주일은 너무나도 즐겁고 설레었다. 매일 목표치 공부를 할 수 있었고 SNS에 인증하며 뿌듯해했다. 하지만 기쁨과 즐거움은 잠시 나에게 큰 좌절감이 찾아왔다.

나는 내 능력을 과대평가했다. 나는 정시(수능점수)가 아니라 수시(학교 내신 점수와 생활기록부 평가)로 대학에 입학하였고 그래서 학창 시절에 주로 공부했던 교과서 영어의 시험방식에만 익숙해져 있었다.

단지 영어 지문만 잘 외우고 가면 시험에서 좋은 성적을 받을 수 있었고 이에 따라 생긴 근거 없는 자신감 때문에 토익을 만만히 봤다. 하지만 실상은 크게 달랐다. 독해 중심인 교과서 영어와 달리 토익은 무려 영어 듣기가 100문제였고 영어 듣기에서 발음이 (미국, 캐나다. 호주, 영국)으로 나뉘는 등 토익은 교과서 영어와 너무나도 달랐다.

처음 기출문제를 풀고 나서 300점이라는 결과를 받았고 이 형편없는 점수는 많은 좌절감을 느끼게 했다. 진지하게 토익을 포기하고 다른 것을 도전해야 하나 고민하던 중 SNS에 동료들의 챌린지 인증은 계속해서 올라왔다. 이 챌린지 인증은 나에게 응원이자 자극제였다. 또한 교수님이 항상 나의 게시물에 응원의 메시지를 보내주셨는데 이 또한 큰 힘이 되었다. 그래서 나는 포기하지 않고 챌린지를 계속해서 이어 나갈 수 있었다.

4. 첫 번째 토익 시험! 아쉬운 결과

한 번의 좌절 이후 다시 마음을 다잡고 공부를 하였고 45일쯤 토익 시험을 보았다. 결과는 500점 초반의 점수였다. 모의고사로 문제를 풀었을 때 결과는 300점이라 실력이 많이 늘었지만 950점을 목표로 하기까지는 갈 길이 멀었다. 결과를 받고서 스스로 피드백을 내린 결과 나의 문제점은 다음과 같았다. 첫 번째 문제점은 집중력이었다. 시험시간 2시간 이내에 200문제를 푸는 도중 몇 번이나 딴생각이 들거나 한번 읽은 문제가 잘 이해하지 못해 다시 한 번 더 읽는 상황이 발생했다.

그나마 독해 부분은 스스로 문제를 푸는 것이라 속도를 나의 페이스에 맞추면 되어서 잠시 집중을 잃어도 타격이 크지 않았다. 하지만 듣기 파트는 100문제가 쉬지 않고 나오기 때문에 중간에 집중을 잃게 된다면 많이 틀릴 수밖에 없었다. 또한 듣기 평가를 할 때 발생하는 생활 소음은 전혀 생각하지 못했던 것도 변수였다.

그래서 나는 실제 시험처럼 똑같이 시간을 정하여 문제를 풀기로 하고 영어 듣기 평가를 할 때도 선명한 음질을 들을 수 있는 이어폰이 아닌 일반 컴퓨터 스피커로 듣는 등 집중력을 키우기 위한 새로운 학습 전략을 세우게 되었다. 두 번째로 부족한 점은 영어 자체의 기초적인 실력 부족이었다. 단어와 문법에서 기본적인 것들을 몰라 빠르게 풀고 넘어갈 문제들에서 시간이 오래 걸리거나 틀리기까지 했다. 그동안은 문제 풀이 위주 공부 방식에서 기본적인 단어 암기 그리고 문법부터 자세히 공부하기로 다짐하였다.

세 번째 문제점은 토익만 공부만 하다 보니 슬슬 질리기 시작했다는 것이다. 이 문제를 해결하기 위해 토익 공부를 어떻게 하면 조금이라도 재미있게 할 수 있을까 고민하던 중 공부를 효율적으로 하는 방법에 대한 고3 시절 선생님의 말씀이 떠올랐다.

"공부할 때 죽도록 한 가지 과목만을 공부하는 것은 비효율적일 수 있다. 왜냐하면 사람의 뇌는 익숙한 것보다는 새로운 것에 더 흥미를 보이기 때문이다. 그래서 한 가지만 하기보다는 두 과목 이상 번갈아 가면서 하고 다양한 장소에서 하는 것이 공부하는 것에 있어서 효율적이다."라고 하셨다.

나는 이 말씀에 따라 토익 공부 말고도 컴퓨터활용능력 2급을 추가로 공부하기로 했다. 그리고 공부하는 장소도 집에서만 하는 것이 아니라 카페나 도서관 등 다양한 곳에서 시도해 보기로 했다. 토익 공부가 힘들어질 때 컴활 공부를 하게 되면 복잡했던 머리가 다시 맑아지는 기분이 들었다. 또한 집에서 공부하다 가끔 경치가 좋은 카페에서 공부하면 스트레스도 해소되고 공부도 잘되었다. 나는 앞서 말한 3가지 개선 방안을 통해 다시 목표를 향해 나아갔다.

5. 두 번째 결과

앞에 개선된 방식으로 나는 공부를 해나갔고 챌린지 70일쯤이 되던 날 토익 시험을 한 번 더 응시하였다. 점수는 500점 초반에서 600점 중반으로 상승이 되었다. 하지만 만족할 수 없었다. 왜냐하면 내가 목표한 토익점수는 950점이었기 때문이다. 또다시 좌절감에 빠져있던 도중 나는 왜 이렇게 결과가 좋지 못할까, 생각하였고 다음과 같이 결론을 내리게 되었다.

첫 번째는 너무 높은 목표를 설정한 것이다. 300점 수준인 나에게 950점은 100일 동안 이루는 것은 불가능했다. 결국 나는 과감하게 목표를 낮추었다. 일단 100일간은 700점 이상을 맞아보자 그리고 다음에는 800점 또 다음에는 이렇게 단계를 순차적으로 높여가기로 결정하였다.

두 번째로 나는 남들과의 비교를 버리기로 다짐하였다. 그저 어제보다 더 실력이 좋아지고 더 많은 것을 알게 되면 그것으로 충분하다고 생각을 바꾸었다. 처음에는 변화를 받아들이기가 힘들었다. 초등학교부터 지금까지 쭉 평가를 받아오며 살아온 나는 무조건 좋은 결과를 내야 했고, 그것이 삶의 이유였다. 하지만 이번에 바뀌지 않는다면 앞으로의 내 삶이 너무나도 힘들 것이라 생각했고 마음을 비워보기로 결심했다.

용기를 내어 내 생각을 바꾸니 결과는 너무나도 놀라웠다. 지금까지는 챌린지를 하며 결과를 내야 하는 압박감을 받아왔는데 압박감이 사라졌다. 자유로워진 기분이었다. 가족이나 주변 사람들도 나의 모습이 한결 밝아졌다고 했다. 생각하나를 바꾸니 삶 자체가 변화된 것이다. 나에게는 놀라운 경험이었다.

• 토익 공부를 하며 챌린지

6. 챌린지를 통한 성과와 새로운 도전

2023년 12월 26일에 이 글을 쓰고 있는 현재 나는 3번째 토익 시험을 준비하고 있고 컴퓨터 활용능력 시험에서 필기는 합격하여 이젠 실기를 공부하는 중이다. 비록 100일간의 도전 동안 엄청난 성장은 이루어낸 것은 아니지만 앞부분에서 말했듯이(적당한 목표 설정, 두 개의 이상 목표 설정하기, 비교보다는 과정 자체를 즐기기) 등 많은 깨달음을 얻을 수 있었다.

나는 챌린지를 하며 도전하고 싶은 것들이 갑자기 생각이 났다. 다음 챌린지 때는 취업을 위해 사회조사분석사라는 자격증을 준비할 것이고 체력을 위해 운동도 하기로 마음먹었다. 또한 기타도 몇 곡 완주해 보고 싶다.

앞으로 도전하는 과정 중 어려움을 맞이할 수도 있겠지만 과정 자체를 즐거워하는 마음이라면 잘해 나갈 수 있을 것으로 생각한다.

7. 챌린지를 마치며

챌린지를 할 때 나는 욕심이 컸다. 나는 결과만을 중요시했기에 950점의 토익점수로 나를 증명해야겠다는 생각뿐이었다. 그리고 부끄럽지만 챌린지는 그것을 달성하기 위한 수단일 뿐이라고 생각했다. 하지만 챌린지를 하면서 내 생각은 잘못되었음을 깨달았다. 챌린지는 나에게 인생의 큰 가르침을 주었다. 챌린지를 하며 나는 겸손해질 수 있었고 어려운 상황 가운데 문제를 해결하는 방법을 배울 수 있었다. 또한 결과만을 중요시하는 마음 때문에 종종 좌절감과 열등감에 빠지는 나를 구해준 좋은 인생의 선생님이라고 말하고 싶다.

사실 이 책을 쓸 때는 토익 시험을 앞두고 있어 좀 부담스러웠다. 하지만 지금 글을 쓰고 보니 정말 좋은 선택이었던 것 같다. 만약 글을 쓰지 않았더라면 챌린지를 통해 배우고 느낀 점들을 얼마 안 가 잊어버렸을 것이다.

하지만 글쓰기를 통해 여러 번 수정하고 다시 쓰고를 반복한 결과 내 머릿속에 잘 자리 잡았다고 확신할 수 있습니다. 다시 한 번 이 글을 쓰게 해주신 이현주 교수님께 감사의 마음을 전하고 싶다. 또한 챌린지를 끝까지 함께해 준 동료분들에게도 감사와 존경을 표한다.

끝으로 이 책을 읽는 독자분들에게도 해주고 싶은 말이 있다. 인생에서 무언가를 도전하다가 실패하는 날은 분명히 올 수 있다. 그때 과거의 나처럼 너무 실망하지 않기를 바라고, 결과보다는 과정 그 자체를 소중히 여기고서 문제의 해결 방법을 잘 찾아본다면 언젠가는 누구나 분명 성공의 열매를 맛볼 수 있을 것이라 믿는다.

10.
내 의지대로 살아가기

황명일

챌린지

밤 10시부터 다음날 7시까지 유튜브 시청 금지

1. 마음 들여다보기

'나는 내 의지대로 살아가는가?' 언젠가부터 '이게 아닌데...' '이러면 안 되는데...'라고 머릿속에서 외치면서도 내 행동을 제어하지 못하는 상황이 발생했다. 바로 유튜브 삼매경이다. 사실 처음엔 나쁘지 않았다. 내가 알고 싶은 뭔가가 있을 때 인터넷 검색을 해서 정보를 얻듯이 유튜브 시청도 그러했다.

하지만 어느 순간 절제하지 못하고 과다한 시간을 유튜브 보는 데 할애하고 있는 나를 자각했지만 쉽게 고치지 못하고 계속해서 시간을 낭비했다. 특히 잠을 자려고 할 때 쉽게 잠이 들지 않으면 여지없이 유튜브를 보고 있었다.

처음 100일 챌린지를 제안 받았을 때 나는 매일 조금씩 운동하는 습관을 만드는 것을 생각했다. 하지만 좀 더 나 자신에게 솔직해져야 했다. 현재 나에게 있어서 가장 문제가 되는 시간 낭비 요소인 유튜브 시청을 자제하지 않으면 그 어떤 목표를 세워도 실패할 가능성이 크게 느껴졌다. 그래서 한편으로는 창피한 생각이 들었지만 현재 내 생활 리듬을 가장 망가뜨리고 있는 골칫거리인 유튜브 시청 중독 문제를 이번 챌린지에서 해결해야겠다고 결심하게 되었다.

2. 챌린지 성공을 위한 포석(布石)

나의 100일 챌린지 목표는 '밤 10시부터 다음날 7시까지 유튜브 시청 금지'로 정했다. 물론 '유튜브 사용 금지'라고 목표를 설정할 수도 있었겠지만, 나는 꼭 성공할 목표를 세우고 싶었다. 현실적으로 필요해서 유튜브를 이용해야 할 때가 있기 때문이다. 그래서 내 생활에서 유튜브를 지워야 할 가장 중요한 시간을 밤 10시 이후부터 계속해서 잠을 청해야 할 새벽 시간대로 정했다.

어찌 보면 밤에 잠만 잘 자면 성공하는 목표이다 보니 혹자는 '이게 뭐야?'라고 생각할 수도 있다. 하지만 나는 밤에 잠이 드는 데 시간이 걸리는 편이다 보니 그사이를 못 참고 유튜브를 열었다가 밤을 꼴딱 새우고, 다음날 일상생활이 힘들었던 적이 하루 이틀이 아니었다. 그래서 나의 치부를 드러내는 창피함을 무릅쓰고 '저녁 10시부터 아침 7시까지 유튜브 시청 금지'를 첫 번째 100일 챌린지 목표로 정했다.

3. 그럭저럭 괜찮은 출발

정말 신기한 일이었다. 100일 챌린지 선포식을 하고 나자, 얼마든지 유튜브 시청을 자제할 수 있겠다는 자신감이 마음 속에서부터 마구 솟구쳤다. 지난 수년 동안 그렇게 그만 봐야지 하면서도 마음처럼 되지 않고, 틈만 나면 핸드폰을 들고 자동으로 유튜브를 보던 내가 아니라, 유튜브 시청으로부터 자유로워진 느낌이었다. 처음 일주일 동안은 챌린지 실천이 너무 잘 되었다.

평소 나는 습관적으로 밤늦게 잠을 자는 편이다. 나뿐만 아니라 가족들 모두 밤늦게 잠을 자다 보니 생활 자체가 아침형 인간과는 거리가 있다. 그래서 나는 스스로를 저녁형 인간이라고 생각해 왔고, 새벽 1, 2시가 넘어서 잠드는 게 다반사였다. 이런 나의 생활 습관은 이번 챌린지에 위기 상황을 만들었다. 밤에 자려고 누웠을 때 곧바로 잠들지 못하면 여지없이 유튜브 앱을 누르고 싶은 유혹이 들었기 때문이다. 하지만, 100일 챌린지를 성공하겠다는 의지로 그 유혹을 뿌리쳤다.

잠자리에 누워서 잠이 빨리 들지 않더라도 유튜브는 절대로 보지 않겠다는 마음으로 책을 펼쳐보기도 하고, 일어나 TV를 보다가 다시 눕기를 반복했다. 그러다 문득 유튜브의 유혹에서 멀어지려면 잠자리에 누웠을 때 최대한 빨리 잠을 잘 수 있어야겠다고 생각했다. 그러기 위해 필요한 활동을 나만의 챌린지로 만들어 실천하기로 했다.

4. 나비효과 만들기

첫째, 커피를 줄이기로 했다. 매일 적어도 2~3잔 습관적으로 마시던 커피를 한잔 이하로 줄였다. 첨엔 한잔도 마시지 않는 것으로 마음먹었다가 하루 한 잔은 허용하기로 했다. 그런데 점점 시간이 갈수록 전혀 안 마시는 쪽으로 마음이 기울고 어느새 커피는 나에게 유혹이 되지 않았다.

둘째, 적어도 밤 12시 전에 잠자리에 들기로 마음먹었다. 밤은 참 오묘하다. 낮엔 활기차게 지내다가도 밤이 되면 불편한 생각이 많아진다. 잊고 있던 고민거리나 불확실한 미래 같이 블랙홀처럼 끝을 알 수 없는 사고 속에서 허우적거리게 되니 말이다. 한 열흘 동안은 12시 전에 잠을 잤다. 하지만 그 후로는 12시 전에 잠들기 어려웠다. 함께 생활하는 가족의 영향도 있었다. 그래서 12시 이전에 잠들기보다는 늦게 자더라도 잠을 푹 자는 것을 실천하고자 했다. 커피를 줄인 것도 도움이 되었지만, 밤 8시 이후에 먹는 야식도 줄였다. 그 덕분인지 새벽 1, 2시 경에 잠을 자더라도 뒤척이지 않고 푹 잘 수 있었고, 4시간 정도만 깊게 자도 충분히 숙면할 수 있어서 피로감이 훨씬 줄었다.

세 번째, 하루에 1시간 정도 운동을 해서 살도 빼고, 밤에 숙면을 취하는데 도움을 받고자 했다. 매일이 아니어도 가끔이라도 실천하자는 생각이었다. 아침이어도 좋고, 저녁이어도 좋다는 생각으로 틈틈이 집에서 또는 헬스장에서 1시간 동안 운동을 했다.

1달 후 나는 커피를 마시지 않고, 늦은 밤부터 아침까지 유튜브 시청 대신 숙면을 취하고, 아침 또는 저녁에 1시간 동안 운동을 하는 사람이 되었다. 이번 100일 챌린지의 시작은 밤 동안 유튜브 시청을 금지하는 것이었지만, 커피를 마시지 않고, 잠을 푹 자고, 운동을 하는 것까지 꼬리에 꼬리를 무는 좋은 습관 실천 릴레이가 되어있었다.

5. 방심은 금물

이번 챌린지가 마냥 순탄하기만 했던 것은 아니었다. 100일 챌린지 시작 초반에는 굳은 의지로 하루 종일 유튜브를 안 보고, 생각도 안 하고 지낼 수 있었다. 하지만 일주일이 지나자 의지가 약해지는 게 느껴졌다.

잠을 자려고 누워 휴대폰을 잡고 화면보호를 푸는 순간 무심결에 유튜브 앱을 연 적이 있다. 그럴 때는 유튜브를 안 보려고 황급히 휴대폰 화면을 꺼버리고, 다시 화면을 열고 얼른 유튜브에서 빠져나왔다. 가끔 저녁 시간에 유튜브를 보다가 무심결에 연속해서 유튜브를 시청하고 있는 나를 자각하고 얼른 시간을 확인한 적이 있다. 저녁 9시경인 걸 확인한 후 '10시 전이라 다행이다'라고 안심했다.

100일 챌린지 이전에 나는 구독해서 매일 보던 유튜브 채널 몇 개가 있었다. 그중 하나는 매일 저녁 9시에 시작해서 2시간 정도 진행한다. 또 다른 채널은 토요일마다 밤 10시에 시작해서 2시간 정도 진행하는 프로그램이다. 100일 챌린지 이전에 나는 저녁마다 그 채널들을 열어놓고 모든 생활을 해왔었다. 이번 챌린지가 시작된 이후 나는 해당 채널들을 실시간으로 볼 수 없었고, 그러다 보니 어느덧 완전히 잊어버리고 생활하고 있었다.

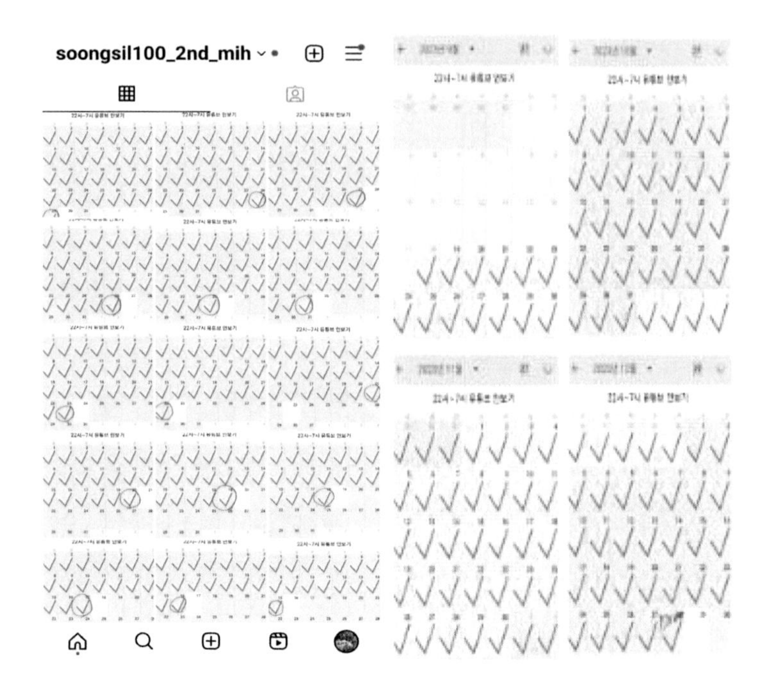

• 100일의 실천과정을 인스타그램에 인증

6. 챌린지를 통한 교훈

지나간 정치 뉴스는 시간이 갈수록 가치가 떨어진다. 나도 지나간 내용을 찾아보지는 않게 되었다. 100일 챌린지 이전에 나는 최신 정치 뉴스를 빨리 보려는 마음 때문에 유튜브를 계속해서 확인했다. 하나를 보고 나면 '그다음은 어떻게 되나?'라는 궁금증으로 매일 같이 쏟아지는 정치 뉴스를 병적으로 끝없이 파고들었다. 정치에 대한 피로감이 들면서도 마치 최신 상품이 시장에 나오면 가장 먼저 써보려고 안간힘 쓰듯 이미 습관적으로 정치 뉴스를 놓치지 않으려고 했던 것 같다.

그 나름의 가치도 있겠지만 나를 둘러싼 환경을 훌쩍 뛰어넘어 나의 영향력이 미치지 못하는 것들 때문에 너무 많은 나의 소중한 시간을 낭비하고 있었다. 그리고 그런 문제를 뻔히 느끼면서도 Never Ending Story 같은 유튜브 삼매경에서 벗어나지 못했던 나 자신이 새삼 더 부끄럽다.

이번 100일 챌린지에서 나는 밤 시간 동안만 유튜브 사용을 금지했다. 사실 낮 시간에도 절제가 필요하다. 그러나 그렇다고 하루 종일로 제한한다면 감당할 수 없는 스트레스로 나의 첫 챌린지를 실패할 가능성이 크다고 생각했다. 또한, 낮엔 해야 할 일이 있기 때문에 상대적으로 유튜브를 볼 여유가 없어서 이번에는 가장 문제가 되는 밤 시간대로 한정했다.

사실상 밤 10시부터 다음 날 아침 7시를 제외한 나머지 시간 동안은 얼마든지 유튜브 시청을 할 수 있다는 낙섬을 가지고 있었고, 그 약점을 틈틈이 잘 활용하면서 이번 챌린지를 성공할 수 있었던 것도 간과할 수 없는 사실이다.

7. 미래를 향한 다짐

이번 100일 챌린지가 끝나도 밤 10시부터 아침 7시까지 나는 불필요하게 유튜브 시청을 하지 않을 것이다. 그리고 새로운 목표로 그 외의 시간 동안의 불필요한 유튜브 시청을 더 줄일 수 있도록 일일 시청시간을 제한해 보려고 한다.

커피가 사라진 내 생활에 몸에 좋은 차를 물처럼 마셔보려고 한다. 이번 챌린지를 통해 커피를 대신해서 마실 만한 좋은 차가 우리 집에 아주 많이 있는 것을 알았다. 그동안 왜 눈길도 주지 않았는지 모를 일이다.

또한, 적어도 하루에 30분 이상 할 수 있는 홈트레이닝, 헬스 등 기타 활동으로 건강관리를 꾸준히 하려고 마음먹었다. 이렇듯 나에게 유익한 것을 조금씩 계속해서 실천하겠다. 이것은 나와 하는 약속이고, 나를 위한 선물이다.

내 몸에 밴 안 좋은 습관으로부터 벗어나 '내 삶을 내 뜻대로 살아가는 것'을 점점 더 늘려가겠다.

8. 성공 DNA 다지고, 다시 나누기

책을 쓴다는 것은 전혀 예상하지 못했던 일이었습니다. 그럼에도 선뜻 책을 쓰기로 한데는 100일간의 챌린지 과정에 대해 간략하게라도 기록해 놓아야겠다는 생각이 들었기 때문입니다.

이번 숭실100일성공2기 챌린지는 제 변화의 시작이었습니다. 저는 마음속 외침을 외면해오다 100일 챌린지를 계기로 그 외침에 귀를 기울이고 조심스럽게 저 자신을 들여다보기 시작했습니다. 그리고, 어느덧 내 의지대로 유튜브 시청을 제어하면서 100일간의 챌린지를 완료했습니다.

유튜브 중독은 어찌 보면 이게 중독인가 싶기도 하고 마치 아이들이 게임을 멈추지 못하는 것 같아 누가 알게 될까 부끄러워하면서도 쉽게 떨쳐지지 않았습니다. 이번 챌린지를 통해 조절 할 수 있는 힘을 가지게 되었고, 앞으로도 이러한 도전을 지속적으로 해나갈 것입니다.

누군가가 저와 같은 문제(유튜브, 게임, 또는 미디어 중독)로 고민하고 있다면, 주저 없이 변화를 위한 챌린지를 시작하라고 권하고 싶습니다. 꼭 목표가 100일이 아니어도 무조건 도전해 볼 것을 강력하게 추천합니다. 그리고 그 도전의 과정에서 제 경험이 미력하나마 도움이 되기를 바랍니다.

끝으로 숭실100일성공2기 챌린지에 제가 참여할 수 있게 초대해 주신 이현주 교수님께 감사드립니다.

11.
성취의 경험을 미래의 도약으로

김예은

챌린지

매일 성경 3장씩 읽기
감사 일기 쓰기

1. 100일 챌린지를 시작하기까지

이제 막 대학교 적응을 마치고 본격적으로 나의 꿈과 비전을 찾아 고민하고 있었을 때였다. 1학년을 갓 지난 패기로 하고 싶은 것도 많고 뭐든 할 수 있겠다는 자신감이 가득 차 있었다. 하지만 막연함과 뭐부터 시작해야 할지 모르겠는 막막함이 내 열정과 자신감을 압도했다. 그리고 기독교학과에 재학하고 있는 학생으로서, 이 시대를 살아가고 있는 크리스천 청년으로서 본질적으로 지금 나의 신앙의 상태는 어떤지, 하나님과의 관계는 어떤지를 점검해 보게 되었다.

그런 찰나에 작년 2학기 때 교양 수업에서 뵙고 또 멘토링을 해주셨던 교수님께서 100일 챌린지를 함께 해보지 않겠냐고 제안해 주셨다. 원래 나는 하나님과 더 가까워지고 말씀과 기도와 감사를 회복하고 싶어서 평소에 스스로 정한 분량의 성경을 읽고 감사 일기를 썼었다. 그러나 그 시기 즈음에 내가 이를 제대로 실천하지 못하고 있었고 또 나태해진 것 같아서 다시 한 번 일어나 나아가고자 교수님의 제안에 흔쾌히 응했다.

2. 희미해져 가는 초심

나는 100일 챌린지 1기와 2기에 모두 참여하게 되었는데, 100일을 끝까지 완주해 보겠다는 초심과는 달리 유감스럽게도 완주하지는 못했다. 30일을 넘어가면서부터는 바쁘고 피곤하다는 핑계를 찾게 되었기 때문이다. 아예 말씀을 읽지 못하거나 감사 일기를 쓰지 못할 때도 있었고, 했음에도 불구하고 귀찮다는 이유로 인증하지 못할 때도 있었다.

스스로와의 약속, 교수님과의 약속, 다른 참여자분들과의 약속이었기 때문에 다시 마음을 다잡고 초심을 되찾았어야 했는데 결과적으로 그렇게 하지 못해서 너무 유감스럽고 아쉽다. 하지만 도전했다는 것 자체는 나에게 큰 의미가 있으며, 두 번이나 완주하지 못한 아쉬움이 쌓이다 보니 다음번에는 꼭 해내야겠다는 생각이 강하게 들었다. 아쉬움이 쌓이다 보니 꼭 해내야겠다는 오기가 생겼다.

3. 다시 도전할 수밖에 없는 이유

사실 1기를 참여한 후 끝까지 완주하지 못한 내 모습에 크게 실망해서 2기는 참여하지 않으려고 했었다. 그런데 그런 나에게 해주신 교수님의 말씀은 다시 2기에 도전할 결정적 계기가 되었다. 교수님께서는 아무것도 아닌 것 같아 보이는 이 도전이 나의 포트폴리오가 되고 나의 자산이 된다고 하셨다. 그리고 누군가는 이를 통해 나라는 사람을 알게 된다고 하셨다. 물론 이 말씀도 너무 감사하고 인상 깊었지만 가장 내 마음을 울리고, 또 고민도 하지 않고 바로 2기를 결심하게 된 이유는 이것이었다.

1기 때는 내가 토익 공부와 성경 통독을 병행했는데, 성경 통독과 내 묵상 글을 본 어떤 재학생이 도전을 받아 자신도 다시 신앙생활을 시작하겠다고 했다는 것이다. 나는 누군가가 내 글을 볼 것이라는 기대는 전혀 하지 않았었고, 이게 어떤 영향력을 가질 것이라는 생각도 전혀 하지 않았었는데, 누군가에게 힘이 되고 도전이 되었다는 사실이 그야말로 기적 같았다.

신앙을 잃었던 지난 시간을 뒤로하고 함께 성경 통독을 하고 싶다는 이야기를 듣고 하나님께 너무 감사했다. 그리고 이 챌린지의 영향력을 실감할 수 있었다. 동시에 내가 평소에 그토록 바라던 일이 생각지도 못한 곳에서 일어났는데 어떻게 2기에 참여하지 않을 수 있을까 하는 생각이 강하게 들었다. 교수님으로부터 그 이야기를 듣고 나는 바로 그 자리에서 고민하지도 않고 2기 참여를 결단했다.

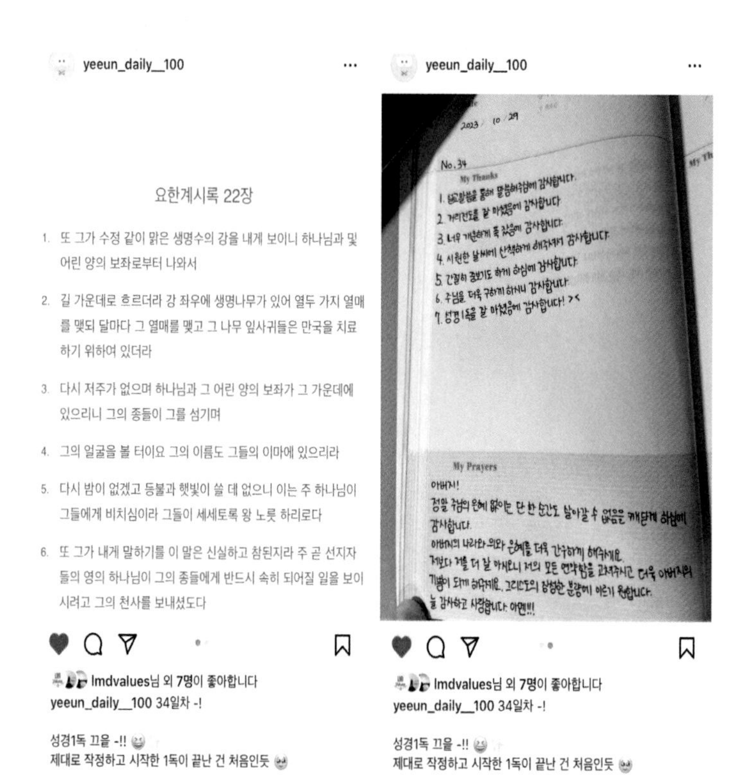

• 성경 읽기와 감사 일기 쓰기 인증

4. 실패의 반복

이후에는 나의 글과 나의 일상에 더욱 책임감이 느껴졌고 누군가에게는 새로운 도전과 시작이 될 수 있다는 사실을 인지하게 되었다. 그리고 더욱 하나님과 가까워지고 나의 신앙이 더욱 성숙해지기를 간절히 바랐기 때문에 2기 때는 성경 통독과 감사 일기를 병행하여 인증하기로 스스로 정했다.

공부도 너무 중요하고 지식과 교양을 쌓는 것도 너무 중요하지만, 나에게는 그 무엇보다도 하나님의 말씀을 가까이 하고 기도하고 감사하는 삶의 습관이 가장 중요했기 때문에 이렇게 선택했다.

2기를 시작하고 나서, 나는 학교생활과 학업, 그리고 교회, 학교 사역을 병행하면서도 매일 말씀 3장 이상을 읽었으며, 늦은 밤에 하루를 돌아보며 감사한 제목들을 적어서 인증했다. 그리고 1기 때처럼 혹시 단 한 사람이라도 이걸 보면서 하나님에 대해 관심을 가지거나 궁금해 하지 않을까, 하나님을 떠났던 사람이라면 돌아오게 되는 계기가 되지 않을까 하는 기대감도 생겼다.

하지만, 1기 때보다 더 기대하는 마음으로 시작했던 2기 챌린지도 시간이 지나면서 나의 머리에서 조금씩 잊혔던 것 같다. 바쁘거나 마음이 힘든 날이면 하나님의 말씀을 읽고 감사 일기를 쓰는 것이 짐처럼 느껴졌다. 그래서 오늘 하루만 빠져야지, 내일 해야지 하는 생각을 계속 반복하다 보니 1기 때와 비슷한 상황이 반복되었다. 물론 1기 때보다는 더 길게 했지만 그럼에도 100일이 되기에는 턱없이 부족했다.

5. 성공을 향한 도약

비록 이번 2기 챌린지를 완주하지는 못했지만, 그 아쉬움이 쌓여 다음에는 꼭 완주하고 싶다는 의지가 생겼다. 가능하다면 3기에도 참여해서 꼭 100일 완주를 이뤄내 보고 싶다. 그것이 앞으로의 나의 더 나은 내일을 위한 첫걸음이지 않을까 싶다.

무언가를 끝까지 완주하고 성취해 보는 경험, 그것이 지금 나에게 가장 필요한 경험이다. 그런데 그 완주를 성경 통독과 감사 일기로 한다면 그건 더할 나위 없이 기쁘고 기억에 남는 일이 될 것 같다. 도전했다는 것을 넘어 취했다는 경험이 새로운 활기찬 도약이 될 것 같다. 혼자가 아니기에, 다른 참여자들과 함께 이뤄내는 것이기에 더욱 값진 시간이 될 것이라 확신한다.

6. 새로운 도전

다음 3기 때 새롭게 도전하고 싶은 것이 있다면, 바로 성경 통독과 감사 일기와 더불어 '독서'하는 것이다. 요즘 독서하며 작가의 삶의 경험과 지혜를 배우는 데 흥미가 생겼는데, 매일 독서를 목표로 설정함으로써 날마다 독서하는 습관을 기르고 싶다. 그리고 인증과 간단한 느낀 점을 통해 내 글을 보는 다른 분들에게도 좋은 귀감이 되었으면 좋겠다.

그리고 성경 통독과 감사 일기는 이전처럼 매일 실천하여 교회에서뿐 아니라 일상의 나의 모든 삶에서 하나님과 동행하며 하나님을 가까이하는 하루하루가 되고 싶다. 분주한 일상에서도 말씀과 기도를 놓치지 않는 삶이되길 간절히 소망한다.

7. 독자에게 전하고자 하는 메시지

이 글을 읽는 독자라면, 분명 챌린지에 관심이 있거나 참여를 원하는 사람일 것으로 생각한다. 비록 나도 완주하지 못했지만 그래도 경험한 것을 토대로 이 글을 읽고 있는 독자에게 하고 싶은 말이 있다면, 자신이 도전하는 과정이 생각 이상으로 영향력이 있다는 사실이다.

내가 직접 경험하고 느꼈기에 이것만큼은 확실히 이야기할 수 있다. 챌린지를 하면서 얻는 성취감도 기쁘지만, 누군가에게 새로운 동기 부여가 될 수 있다는 사실을 생각하면 더 의욕이 생기고 책임감까지 든다. 그리고 이러한 책임감은 100일을 끝까지 완주할 수 있는 원동력이 되어줄 것이다.

또, 챌린지에 참여하면서 100일 동안 꾸준히 이어간다는 게 생각보다 더 쉽지 않다는 것을 느꼈다. 하지만 습관을 지니고 싶고 그것을 생활화하고 싶다면 도전해 볼 충분한 가치가 있다. 그러나 혼자서는 정말 어렵다. 나는 다 함께했음에도 불구하고 두 번이나 100일을 완주하지 못했었다.

하지만 혼자서 할 때는 더더욱 자율성만 남아 있어서 보통의 의지가 아니고서는 완주하기 어려울 것 같다. 그렇기에 세 명 이상이 모여 함께 날짜를 정해서 시작하는 것이 좋을 것 같다. 이 글을 읽는 모두가 100일을 완주하여 성취하는 경험을 얻고, 또 그것이 좋은 발판이 되어 자신의 목표를 향해 힘차게 비상했으면 좋겠다.

12.
새로운 일상의 시작이 된 챌린지 경험

이하림

챌린지

학기 중에 B1 독일어 자격증 취득하기

내가 변화를 갈망하기까지

요새 들어 시간이 정말로 빠르게 흘러가는 것 같다. 나이가 들면 시간이 빨리 흐른다는 말처럼 가만 생각해 보면 정말 어렸을 때는 1년이 평생처럼 길게 느껴졌는데 지금 당장은 올해가 벌써 다 가고 내년이 다가오는 게 조급해질 정도이다. 이러한 느낌과 더불어 올해 초부터 나에게는 좀처럼 해결되지 않는 한 가지 고민이 있었는데 그것은 빠르게 흘러가는 시간에 비해 내가 얼마나 미래를 향해 발전하고 성장했는가이다.

대학에 처음 입학할 때를 생각해 보면 나는 불확실하고 막막한 미래와 삶의 여러 의문점에 대한 답을 찾고 나의 여러 부족한 점을 개선할 수 있을 거라는 막연한 생각을 했던 거 같다. 그러나 코로나 사태 1년간의 대학 생활 그리고 2년의 군 휴학 후 3년이란 시간이 흘렀을 때 나의 모습은 스스로 생각하기에 기존의 내가 원했던 만큼의 성취감을 느끼고 미래를 향해 발전하지 못한 상태였다.

한편으로는 코로나 사태와 군 생활로 활발하게 향후 경력과 관련된 특별한 활동을 하기 쉽지 않은 환경이라 생각하기도 했다. 하지만 지금 와서 생각해 보면 그 시기 동안 꼭 특별한 활동은 아니더라도 향후 진로를 계획하고 목표한 바를 이루기 위해서 해야 할 많은 것들을 미리 준비해 둘 수 있었을 것이다. 특히 개인적으로는 그 시간 동안 어학 공부를 더 열심히 해두지 않았던 것이 후회되었다.

이러한 상황에서 올해 초 2학년 1학기로 복학을 하게 되었다. 새롭게 복학하고 나서 서서히 변화의 필요성을 느끼던 나는 1학기 동안에 나는 학업에 열중하는 한편 미래를 위한 비전을 새우고 여러 가지 다양한 활동을 해보기로 마음먹었다. 그러나 생각은 많은 반면에 행동으로 옮기기는 쉽지 않았다. 명확한 목표를 정하는 것도 쉽지 않았으며 학업에 임하는 것도 많은 생각 속에서 마음이 잘 잡히지 않아 오랜 시간 집중하는 것이 쉽지 않았다. 문득 나는 내가 무언가 한 일에 열중해서 장기적인 집중을 유지하고 최선을 다해 일을 마친 적이 기억나지 않을 정도로 오래전 일이라는 것을 또는 아예 존재하지 않았다는 것을 깨달았다. 오랫동안 쓰지 않은 근육을 쓰는 것과 같이 명확한 목표를 정하고 장기간 집중해서 목표를 달성하는 것에 어려움을 느꼈고, 변화의 필요성을 느끼고 갈망하지만 변화의 동력은 미비한 채로 그렇게 2학년 1학기 또한 마치게 되었다.

교수님과의 만남과 숭실 100일 챌린지 참여

방학이 되고 이렇게 쉽게 나태해지고 지쳐버리는 모습을 바꾸고 동기를 부여해 보고자 일부러 힘든 아르바이트를 해 보기도 했고 그렇게 모은 돈으로 오래전부터 깊은 흥미가 있던 독일로 여행을 다녀오기도 했다.

그 후 2학기 수강 신청을 준비하며 진로와 취업과 관련해 경영학 복전을 고려하고 있었다. 그러한 도중 평소에 기업과 경영에 관한 이해와 지식이 너무 부족하다고 생각해 '기업의 이해' 과목을 수강 신청하게 되었고 교수님을 처음 뵙게 되었다. 처음에는 기업과 경영에 대한 개념을 조금이나마 이해하고자 들은 수업이었지만 교수님께서는 단순한 개념뿐만 아니라 실질적이고 생생한 현장의 경험을 들려주셨고 학생 개개인의 진로에 대해서도 깊은 관심을 기울여 주셨다.

첫 주차 커리어 설문을 하고 얼마 뒤 교수님께서 먼저 다가오셔서 향후 나의 진로와 교환학생 계획에 대해 관심을 기울여 주시고 세심한 조언을 해주셨을 때 나는 매우 놀라웠고 감사한 마음이 들었다. 또한 교수님께서는 나의 미래를 위한 발전적인 목표를 달성하는 것을 돕기 위한 챌린지 참여를 권유해 주셨다. 처음에는 생각하지 못했던 일이었지만 평소 변화의 필요성과 스스로에게 성취감을 느낄 수 있는 일들을 갈망했으나 그 동력이 부족하다고 여겼던 나는 챌린지가 이러한 변화의 동력에 조금이나마 도움이 되지 않을까 싶은 마음에 챌린지에 참여하게 되었다.

첫 목표 설정

기존에 여러 목표를 두고 고민했던 나였지만 정작 챌린지를 위한 목표를 설정할 때는 놀라울 정도로 쉽고 빠르게 목표를 설정할 수 있었다. 1학기 동안의 고민과 방학 때의 여행을 통해 어느 정도 진로와 미래를 위해서 내가 무엇을 우선 준비해야 할지 스스로 정리가 되었던 것 같다.

나는 독일어 자격증 B1 시험 합격을 목표로 정하게 되었다. 독어독문과를 재학하면서 나는 내가 독일의 역사와 문화에 관해서 확실히 흥미를 느끼고 있다는 점을 알았고 진로 분야 역시 구체적인 방향은 정하지 못했지만 어떠한 방식이라든지 국제적인 분야에서 일하고 싶다는 점은 확신할 수 있었다.

그리고 나는 이러한 나의 성향을 보다 확실히 확인할 수 있는 방법은 외국에서 오랜 기간 체류해 보는 것이라 생각했기에 교환학생을 고려하게 되었고, 선발 조건인 어학 성적을 B1 시험에 맞추기로 결심했다. 토익 영어 자격증 또한 고려해 보았고 영어 역시 향후 나의 진로에 있어서 매우 중요하지만 학기 중에도 독일어 과목을 수강하고 있기에, 또한 B1 시험은 독어독문과의 졸업요건이기도 하기에 B1 시험을 준비하기로 마음먹었다.

목표를 위한 실행 그리고 곧바로 맞닥뜨리게 된 어려움과 실패

그렇게 이번 학기 내 B1 시험에 합격하는 것을 챌린지 목표로 정하고 나는 이를 실행하기 위한 구체적인 계획을 생각해 봤다. B1 시험은 읽기, 듣기, 쓰기, 말하기 4개의 영역으로 구성되어 있으며, 각 영역에서 60점 이상을 넘기는 것이 합격 기준이었다. 기존 수능 영어 때부터 언어 공부를 항상 성공적으로 해본 적이 없다고 생각했던 나지만 그동안의 공부를 통해 언어 공부는 한 번에 몰아서 할 수 있는 것이 아닌 지속적이고 꾸준히 해서 삶의 일부가 될 때 비로소 성장할 수 있다는 점을 어느 정도 깨닫고 있었다.

그런 의미에서 더욱 매일 꾸준히 100일간 목표를 세우고 노력하는 숭실 100일 챌린지를 언어 공부에 적용한 것은 매우 적절하다고 생각했다. 나는 하루는 독해와 쓰기 영역을 공부하고 하루는 듣기와 말하기를 공부하는 방식으로 실행하며, 공부한 내용을 찍어 챌린지에 인증하는 방식으로 챌린지를 진행하기로 하였다.

그러나 본격적으로 챌린지를 시작하고 얼마 되지 않아 수많은 어려움을 실감하기 시작했다. 기본적으로 나는 대학 입시 때 이후로 물론 그때도 완전하지는 않았지만 스스로 생각해도 부끄럽게도 장기간 앉아 공부하며 시간을 보낸 적이 오래전 일이 되었다. 지난 학업 때도 시험 기간이 임박해 시간에 쫓기며 겨우겨우 시험 준비를 하고 쉽게 나태해지고 지치며 싫증을 내는 것에 익숙해져 있었다. 그렇기에 오랜 시간 의자에 앉아 공부에 집중하는 것부터가 쉽지 않았다. 더구나 어느 하루에 그렇게 집중해 열심히 공부하더라도 하루 동안 마음을 다잡고 18시간 동안 집중해서 공부하는 것보다 매일 1시간씩이라도 100일 동안 꾸준히 공부하는 것이 훨씬 더 힘든 일이었다.

한편으로는 학기 중에 자격증 공부를 하는 것도 부담이 되었다. 학과가 독어독문과인 만큼 학과 공부를 열심히 하면서 자연스레 독일어 실력이 향상되며 B1 시험에 합격할 수 있고 실제로 이번 B1 시험에 이번 학기에 수강한 수업들에서 직접적으로 많은 도움을 받았다. 하지만 나는 내년에 곧바로 교환학생 지원을 희망하며 빠르게 B1 자격증을 얻는 것을 원했다. 결국 학업과 당장의 점수 향상과 합격을 위해 학원에 다니며 직접적인 B1 유형 문제 풀이를 병행할 수밖에 없었다. 또한 공부할 때도 처음에 내가 생각했던 것보다 나아가는 진도가 너무 느렸다.

생각보다 모르는 어휘가 많았고 어휘를 찾고 독해하는 데 있어서 시간을 많이 잡아먹었다. 결국 읽기와 듣기에 시간이 너무 많이 할애되었고 하루 내 말하기와 쓰기 공부를 하지 못해 당혹스러웠다.

나는 20년도에 1년간 독일어 공부를 처음 시작하고 군 생활 후 복학까지 별다른 독일어 공부를 하지 않았기에 문법과 어휘도 상당 부분 잊어버린 상태였다. 그런 와중에 학과의 졸업요건이기도 한 B1 시험 합격은 결코 쉽게 느껴지지 않았다.

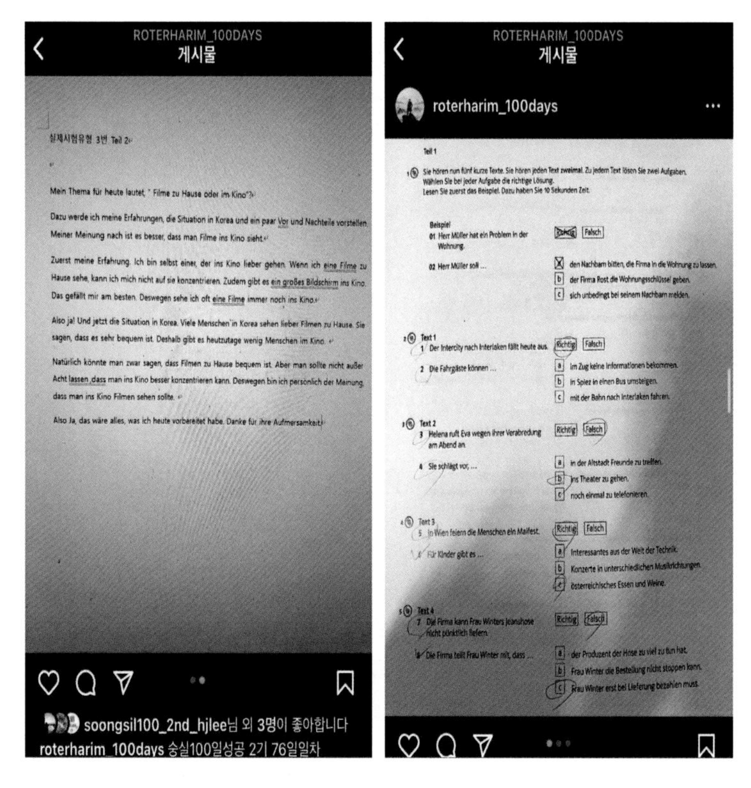

• 독일어 공부 인증

챌린지를 매일 진행하는 데에도 어려움을 겪었고 실제로 실패한 날들이 많았다. 이런 가운데 방학 때 미리 자격증 공부를 집중해서 해두지 못한 것이 후회되기도 했고 중간에 영어 토익 공부로 변경하는 것을 고려하기도 했다. 그러나 이내 이미 시작한 이상 바꾸기도 늦었다고 생각하고 여러 어려움 속에서 지금 당장 해결할 수 있는 문제들을 해결해 보며 어쨌거나 지속적으로 해보기로 마음을 정했다.

실패와 어려움에서 배운 것들

'사람은 상황의 동물이다.'

상황을 완벽하게 극복할 수 있는 사람이 존재할까? 강력한 정신력으로 주어진 역경과 상황을 어느 정도 극복해 낸 사례들이 있지만 그럼에도 상황을 이겨내고 극복한다는 것은 쉬운 일이 아닐 것이다. 나 역시 목표를 정하고 수행하는 데 있어서 그것을 방해하는 상황들에 놀랍도록 취약하다는 사실을 깨달았다.

누구보다 상황에 취약하기에 나는 나의 일상에서 목표에 방해가 되는 상황을 목표에 도움이 되는 상황으로 바꿔보고자 했다. 우선 하루의 시작부터 바꿔보았다. 스스로 생각하기에 나는 피곤이 밀려오는 늦은 밤보다는 아침 시간에 집중이 잘 된다고 생각했다. 이러한 나의 성향을 생각해 생활 패턴을 보다 일찍 오전 5시에 시작해 오후 10시쯤 마무리하는 방식으로 만들어 보려고 했다.

그러나 처음에는 자는 시간이 늦어지고 아침에 일어났다가 다시 잠드는 바람에 번번이 실패했다. 그래서 나는 아침에 일어났다가 다시 잠들지 않도록 도움이 되는 상황을 만들기 위해서 휴대폰을 침대로부터 먼 곳에 두고 자기 시작했다. 학교 수업을 마친 후에는 나는 피곤해지고 집에 가서 쉬고 싶어졌다. 그러고 집에 가면 긴장이 풀어지고 쉬고 싶어지고 눕고 싶어졌다. 여러 번에 경험 끝에 나는 집에서 공부하는 것보다 밖에서 공부하는 것이 내가 집중하는 데 있어서 더욱 유리한 환경이라는 생각이 들었다. 그래서 오늘 할 일을 끝내기 전까지는 집에 들어가지 않기로 결정했다. 학교에서 공부하다가 저녁을 먹은 후에는 장시간 앉아 있게 되면 포만감 때문에 소화가 잘되지 않고 공부에 집중이 되지 않았다.

그렇기에 나는 가능한 아침을 많이 먹고 저녁은 비교적 간소히 먹기 위해 노력하기 시작했다. 또한 저녁을 먹고 난 후에는 15분 정도 항상 산책하여 저녁 시간에 집중을 잃지 않도록 하려 했다. 시간 확인 등으로 휴대폰을 자주 꺼내 보며 집중력이 흐려지자 손목시계를 차고 다니면서 이러한 문제를 방지하고자 했다. 상황에 매우 취약한 인간인 나는 나의 목표를 위해 행동하는 데 방해가 되는 상황들을 도움이 되는 상황으로 바꿔보기 위해 나름의 시도를 해보았다.

'길에서 벗어나지 않기 위해서'

꾸준함이라는 것은 쉽지 않았다. 특히 평소에 자주 하지 않던 일, 익숙지 않은 일이라면 더욱 그럴 것이다. 매일 꾸준히 목표를 향해 어떤 일을 한다는 것은 좁고 긴 길을 벗어나지 않고 걷는 것 같았다. 길을 걷다 보면 날씨가 변하고 스스로도 지치는 때가 오기 마련이다. 새로운 마음가짐과 굳은 결심으로 목표를 정하고 실행했지만 그 초심이 끝까지 그대로 유지되기란 어렵다.

고등학교 때 국어선생님이 케렌시아라는 개념에 대해서

알려 주신 적 있다. 스페인어로 안식처, 피난처라는 뜻으로 투우장의 황소는 투우사와 혈투 중 탈진하면 이러한 투우장 내의 자기만의 케렌시아에서 잠시 숨을 고른 뒤 다시 싸울 힘을 얻는다고 한다. 목표를 향해가는 과정에서 시간이 촉박하기도 하지만 사소한 컨디션부터 건강과 감정 상태, 생각의 변화, 새로운 일과 사람 관계까지 외부적으로나 내부적으로나 어제와 다른 오늘의 상황이 기다리고 있기에 나에게도 초심을 잃지 않을 수 있는 잃더라도 다시 돌아올 수 있도록 해주는 그러한 장치가 필요하다고 생각했다.

적당히 이완을 줄 수 있으면서 다시금 초심을 다지기 위한 활동으로 챌린지 초반에는 일주일에 한 번 정도는 정기적으로 영화를 보는 것을 생각해 보았고 나중에 가서는 아침 산행을 고려하게 되었다.

휴식을 위한 어렵지 않은 활동임에도 불구하고 막상 바빠지고 정신없는 와중이 되었을 때는 시간을 효율적으로 써서 규칙적이고 정기적으로 해보는 것이 생각보다 쉽지 않았다. 그럼에도 스스로 챌린지를 통해 이러한 개념에 대해 생각하게 되었고 챌린지가 끝나고도 지속적으로 예전에 살았던 동네 주변의 길을 찾아 스스로 편안하게 느끼는 장소를 산행하며 생각을 정리하는 습관을 가지게 되었다.

마지막 30일과 결과 그리고 챌린지를 마치며

초반에 겪은 어려움과는 달리 스스로 여러 문제점들을 생각해 보고 가능한 해결책들을 찾아보며 챌린지를 한 달 정도 남겨뒀을 때는 보다 효율적으로 시간을 쓰고 집중을 발휘해 짧은 시간 안에 많은 일들을 할 수 있었다. 막바지에 들어서면서 기말고사와 자격증 시험이 임박하여 매우 바쁘게 시간을 보냈지만, 오히려 평소에 나의 집중을 방해하던 잡생각은 많이 사라지고 온전히 나의 할 일에 집중할 수 있게 되어 마음이 편해지는 것 또한 느낄 수 있었다.

그렇게 챌린지를 마치고 결과가 나왔다. 한편으로 가장 우려했던 것은 학업과 자격증 두 마리 토끼를 다 놓치는 것이었다. 그리고 결과가 나왔을 때는 한편으로는 안도하면서도 다소 아쉬웠다. 학점은 4점대 이상으로 좋은 성적을 거두었으나 B1 자격증 성적에서 말하기 영역이 아쉽게 합격에 약간 미치지 못해 결국 목표로 했던 B1 자격증 취득은 하지 못했다. 다행히 말하기 영역만 재시험을 보면 되기에 겨울

방학 때 이를 다시 보완해서 최종적으로 B1 시험에 합격한 후 학과의 교환학생 모집이나 국제처의 교환학생 2차 모집에 지원할 계획이다. 그렇게 나의 첫 챌린지가 끝나고 이번 학기도 끝났지만 학기를 마무리하는 나의 마음은 여느 때와 달랐다.

이번 학기에 챌린지에 참여함으로써 나는 명확한 목표 의식과 해야 한다는 추진력을 가지게 되었고, 내가 가진 어려움과 직접 마주 보게 되었다. 이 과정에서 나는 많은 것들을 느끼고 나의 일상에 적용할 수 있는 다양한 해결책들을 찾아보았다. 그렇기에 스스로 생각했을 때 많은 것을 얻은 한 학기라 생각할 수 있었다. 이번 학기에 스스로 새로운 시도를 해보도록 또한 변화의 계기가 되도록 해준 챌린지 참여를 권유해 주신 교수님께 다시 한 번 감사드리고 싶다.

이 글을 읽으시는 독자분들도 이러한 챌린지를 통해 스스로 목표를 세우고 그 과정 속 어려움에서 자기만의 작은 해결책을 하나하나 찾아보고 꾸준히 나아간다면 분명 어제보다 더 나은 오늘의 자신을 발견할 수 있지 않겠느냐고 생각한다. 그리고 챌린지가 끝나고 새해가 밝은 지금 나는 챌린지에서 느끼고 배운 점들을 내 삶에 지속해서 적용해 보는 것에 대한 기대감을 가지고 변화한 나의 새로운 시작의 시작으로서 한 해를 시작하려고 한다.

13.
넘어져도 다시 일어나는 자

구민정

챌린지

매일 신문 읽기

세상에 다시 펼쳐진 이야기

교수님과 여러 동료가 함께한 챌린지의 여정을 담은 책을 쓰자고 제안을 받았다. 기분 좋게 제안을 수락했지만, 과연 내가 독자에게 메시지를 전달할 만큼 챌린지에 성공했는가에 대한 의문이 들었다. 이러한 생각은 결국 책 집필을 포기하는 결과로 이어졌다. 나의 이야기는 세상에 나오지 못할 뻔했다.

그러나, 해가 바뀌고 챌린지를 다시 시작하면서 내 머릿속에 문득 하나의 깨달음이 스쳐 지나갔다. '나는 끊임없이 도전한다.' 나는 100일 챌린지에 성공하지 못했지만, 새롭게 또 다른 도전을 시작하고 있었다. 챌린지의 과정과 그 속에서 얻은 경험을 여러분에게 전달할 수 있게 되어 기쁘다. 나의 이야기를 다시 할 수 있게 응원해 주신 교수님께 감사의 말을 전해 드리고 싶다.

여정의 시작

나는 다른 동료들보다 조금 늦게 챌린지에 참여한 사람이다. 챌린지 신청 기간에 참여하고 싶다는 생각이 굴뚝같았지만 그럴 수 없었다. 3주 뒤에 있는 중요한 자격증 시험을 준비해야 했기 때문이었다. 그렇게 나를 제외한 숭실 100일 챌린지는 순조롭게 진행되고 있었다. 자격증 시험을 치르고 난 후 나는 새로운 도전이 필요했다. 나는 강의가 끝난 후 교수님께 다가가 늦었지만 챌린지에 참여하고 싶다고 말씀드렸고, 교수님은 나를 흔쾌히 환영해 주셨다.

나의 챌린지는 매일 경제신문을 읽는 것이었다. 주로 인터넷 신문이나 유튜브를 통해 정치, 경제, 사회에 대한 정보를 얻었다. 우리 집은 신문을 보지 않았으며, 서울의 자취방에는 TV가 없었기 때문이다. 그러나 온라인 매체는 많은 단점을 갖고 있었고, 나는 내가 그러한 단점에 취약하다는 사실을 알고 있었다. 대중교통을 타고 학교로 가는 동안 인터넷 기사를 읽으면 스마트폰 위의 수많은 글자가 일렁이며 눈이 아팠다. 혹여 친구의 카톡이 내 화면에 보이게 되면 내가 보고 있던 기사는 기억 저편으로 사라지고 신나게 채팅하는 자신을 발견할 수 있었다.

유튜브는 알고리즘 특성상 내가 봤던 뉴스의 소재가 반복해서 나오고, 나를 특정한 하나의 주제에 매몰되게 했다. 또한 한눈에 보이는 유튜브 댓글들은 생각할 시간을 빼앗았고 댓글의 내용에 별생각 없이 긍정하도록 만들었다. 그래서 나는 나의 약점을 보완해 줄 수 있는 경제신문을 읽고자 하는 열망이 늘 있었다.

무언가의 시작은 두렵고 긴장되기 마련이다. 나 또한 신문을 읽고자 하는 의지는 있었지만, 막상 신문 구독을 하려고 하니 망설여지고 포기한 적도 많았다. 과연 신문을 읽는 것이 많은 도움이 될지 하는 걱정이 들었다. 도전에 실패했을 때 역시 그럴 줄 알았다며 들려오는 조롱의 목소리 또한 두려웠다. 그렇게 나는 도전의 점프대 위에서 몇 개월 동안 시간만 보내고 있었다.

나에게 100일 챌린지는 굴러들어온 복이었다. 시작이 두려운 나에게 함께 뛰어줄 동료들이 있다는 사실은 챌린지를 시작하는 데에 큰 힘이 되었다. 나는 용기를 내어 2023년 9월 27일에 숭실 100일 챌린지를 시작하였다.

완주를 위한 고군분투

시작은 항상 어렵기 마련이다. 두툼한 신문지와 빽빽하게 적혀 있는 글자들은 나의 흥미를 가라앉히기에 충분했다. '이 많은 내용을 내가 다 읽을 수 있을까?', '중간에 재미가 없어지면 어떡하지?'와 같은 걱정이 머릿속에 맴돌았다. 나는 챌린지를 즐겁게 수행하기 위해 내 나름대로 즐겁게 신문 읽는 방법을 만들었다.

첫째, 다이소에서 산 1000원짜리 오색 형광펜으로 줄을 치며 신문 읽기. 원하는 색을 골라 줄을 치며 읽다가 지루해지면 다른 색으로 바꿔가며 기분을 전환했다. 싼값에 구매한 펜이라 마음껏 밑줄 치면서 오랫동안 신문을 읽을 수 있었다.

둘째, 인증 사진에 예쁜 프레임을 씌워서 챌린지 글 올리기. 나는 인증용 사진을 촬영한 뒤 사진 편집 앱에서 블러 프레임을 적용한 후 SNS에 글을 올렸다. 인증 사진을 보기 좋게 편집하는 것은 챌린지의 목적과 크게 관련이 없어 보일 수 있다. 그러나 나는 챌린지의 과정이 보기 좋게 정리되어 있으면 즐거움을 느끼고 동기부여가 되는 것 같다.

이러한 노력으로 100일 챌린지는 순조롭게 진행되고 있었다. 챌린지 시작 이후 한 달이 지나기 전까지는 말이다.

• 신문 읽기 인증

실패를 마주하는 자세

챌린지 30일 차, 신문 읽기가 제법 습관이 되었고 나의 당연한 일상이 되는 듯했다. 그러나 너무 해이해져 버린 걸까, 나는 신문 읽기를 소홀히 하기 시작했다. 하루 이틀씩 신문을 읽지 않아 게시물을 올리지 않은 날에는 나를 응원하는 동료들에게 미안함과 동시에 부끄러운 마음이 들었다. 동료들은 챌린지 시작 70일 차를 앞두고 있는데 나 혼자만 40일 차 게시물을 올릴 때는 자괴감이 많이 들어 우울했다. 챌린지에 실패했다는 사실이 속상하여 일부러 SNS에 접속하지 않았고 매일 오는 신문을 외면한 적도 있었다.

결과적으로 나는 챌린지에 실패했다. 실패는 나를 무기력하게 만들었고, 남은 기간의 챌린지는 막막하게만 느껴졌다. 그러나 우연히 본 동료의 게시물은 나에게 큰 깨달음을 주었다. 챌린지를 여러 번 빼먹어 오랜만에 게시물을 올린 그녀는 한동안 챌린지를 못했다며 다들 오랜만이라고 반갑게 웃으며 게시물을 올렸다. 실패를 마주한 그녀의 태도는 나와 달랐다.

실패는 성공의 과정이며, 누구나 다 실패한다.

나는 그날 이후 다시 챌린지를 수행하려고 노력했다. 100일 동안 매일 신문을 읽는 것이 쉬운 일이었다면 처음부터 챌린지라고 이름 붙이지 않았을 것이다. 나는 나를 탓하고 미워하는 대신 부족한 나의 모습을 받아들이고 이를 개선하고자 했다. 이러한 태도는 내가 포기하지 않고 꾸준히 신문을 읽을 수 있도록 도와주었다.

챌린지 종료일까지 한 달이 채 안 남은 시점에 팀프로젝트와 발표, 시험 준비에 둘러싸여 무려 13일 동안 신문을 읽지 않았던 적이 있다. 2주 만에 신문을 읽으니 어색했고 인증 게시물을 올리는 것이 부끄러웠다. 그러나 나는 아무렇지 않은 척 다시 챌린지를 시작했고 12월 31일까지 꾸준히 신문을 읽으며 숭실 100일 챌린지를 완주하였다. 비록, 그 과정에서 실패를 겪고 포기할 뻔했지만 부족한 내 모습을 인정하고 응원하여 챌린지를 잘 마무리할 수 있었다.

100일이 가져온 변화

나는 도전을 좋아하는 사람이다. 하지만, 내 삶을 돌아봤을 때 도전은 항상 어려웠고 결과는 긍정적이지 못했다. 소심한 성격을 고치고 싶어 동아리 회장에 지원했다가 1년 내내 성격 때문에 힘들었던 적도 있고, 책을 많이 읽는 사람이 되고 싶어 책을 샀는데 도무지 읽지를 않아 처지 곤란한 짐이 되었던 적도 있다.

이번 숭실 챌린지도 마찬가지로 성공적인 결과를 가져오지 못했다. 95일 중 56일만 챌린지에 성공했기 때문이다. 그러나 100일 챌린지를 통해 내가 원하던 목표와 가까워졌으며 많은 깨달음을 얻을 수 있었다.

매일 꾸준히 경제 신문을 읽으면서 나는 조금씩 변화했다. 첫째, 긴 글을 매일 읽다 보니 집중력이 늘었고 글을 이해하는 속도가 빨라졌다. 처음 신문을 읽기 시작했을 때는 1시간 30분이 걸렸지만, 지금은 40분이면 중요한 기사들은 다 읽을 수 있다. 초반에는 문장마다 밑줄을 치며 읽어야 내용이 눈에 들어왔는데, 이제는 줄을 치지 않아도 빠르게 내용이 이해된다.

둘째, 비판적이고 객관적인 사고가 가능하다. 신문을 읽기 전의 나는 인터넷으로 정보를 접하면 그대로 수용하기에 바빴다. 누군가의 의견에 쉽게 휘둘리기도 하였다. 그러나 신문을 읽기 시작하고 나 혼자 생각하는 시간을 충분히 가지면서 상황을 무작정 수용하기보다는 그 안에 숨겨진 의도를 파악하고 비판할 수 있게 되었다.

셋째, 나는 긍정적인 사람이 되었다. 챌린지의 절반을 서우 성공한 사람이지만, 그 과정에서 '나는 할 수 있다'라는 긍정적인 마음가짐이 챌린지 완수에 많은 도움이 되었다.

마지막으로, 나는 새로운 도전을 시작할 용기를 얻었다. 신문을 항상 읽고 싶다고 생각만 했던 나에게 100일 챌린지는 목표를 직접 실천하게끔 도와준 고마운 은인이다.

• 한 달 동안 읽은 신문

이번 챌린지를 통해 목표 달성을 위한 최고의 전략은 바로 실천이라는 교훈을 얻었다. 또한, 동료들이 있었기에 챌린지를 시작할 수 있었고, 끝까지 잘 마무리할 수도 있었다. 만약 이 챌린지를 혼자 진행했더라면 도중에 그만뒀을지도 모른다. 각기 다른 목표를 위해 노력하시는 교수님과 동료들을 보며 그 의지를 본받았다. 또한, 실패를 마주하는 태도를 배워 앞으로 마주할 도전과 실패 상황에서 포기하지 않고 나아가는 힘을 길렀다.

전하고 싶은 말

나의 챌린지에는 엄청난 사연이 있는 것은 아니다. 단지 넘어지고 일어서는 것의 반복일 뿐이다. 내가 독자에게 전하고 싶은 말은 도전하는 것을 두려워하지 말라는 것이다. 목표를 이룰 수 있을까 하는 두려움은 아직 내가 실천하지 않았다는 사실에서 비롯된다.

실패가 두려워 시작을 망설이는 사람도 있을 것이다. 우리는 완벽한 사람이 아니고, 천재 또한 아니다. 누구나 실패하며, 실패 없는 성공은 존재하지 않는다. 중요한 것은 실패하더라도 다시 도전하는 마음가짐이다. 포기하지 않고 목표를 향해 앞으로 나아가면 그 과정에서 변화하는 나를 발견하게 되고, 실패의 반복 속에서도 결국 목표를 달성할 수 있을 것이다. 나는 독자가 실패를 기피의 대상 대신 즐거움의 대상으로 여겼으면 좋겠다.

마지막으로 100일간 함께 챌린지를 수행한 동료들과 이렇게 좋은 기회를 마련해주신 이현주 교수님께 감사의 말씀을 전하고 싶다. 나의 챌린지는 2024년에도 진행 중이며, 이 책을 읽는 모든 분이 저마다의 목표를 달성하기를 응원한다.

14.
작은 일부터 매일 한다면

명재용

챌린지

필사하기, 공부 정리하기, 영문 기사 읽기

2번의 100일 도전기

2023년 한 해를 보내면서 100일 도전 챌린지 1기와 2기에 참여했다. 1기 때는 필사부터 시작해서 하루 공부한 내용을 정리하고, 2기에 와서는 매일 영문 기사를 읽었다. 1기와 2기는 사뭇 다른 느낌이었는데, 제일 큰 이유는 공부 정리보다 영문 기사를 읽는 것이 압박감이 더 있었기 때문일 것이다. 필사는 어느덧 200일을 넘겼고, 100일 동안 나의 하루를 기록한 데이터베이스가 생겼고, 영문 기사를 읽는 데에 자신감과 속도가 붙을 때쯤 두 번의 100일 도전이 끝났다. 필사, 공부 정리, 영문 기사 읽기. 이 세 가지 목표에 대해 하나하나 글을 써 내려가 볼까, 한다.

필사

필사를 처음 선택했던 이유는 부담이 적기 때문이었다. 두뇌를 크게 사용해야 하는 작업이 아니기 때문에 자기 전에 매일 반복하기에는 딱이다. 매일 원하는 분량을 조절할 수도 있다. 그리고 무엇보다 펜으로 글씨를 써 내려갈 때의 그 느낌이 참 좋다.

필사할 책으로는 마르쿠스 아우렐리우스의 『명상록』을 골랐다. 이 책은 아우렐리우스가 전쟁터에서 작성한 짧은 글들을 엮어놓은 형식인데, 글들의 앞뒤 내용이 크게 연결되지 않아서 매일 조금씩 필사하기 좋았다. 북 스탠드에 책을 고정해 놓고, 그 앞에 노트를 펼쳐 매일 밤 자기 전 30분 남짓한 시간을 사용했다. 필사를 시작할 때는 날짜와 몇 번째 필사인지를 숫자로 표기했다.

필사를 계속하면서 드는 뿌듯함이 있다. 노트 한 장, 한 장이 점점 내 손 글씨로 채워질 때의 충족감은 필사를 계속하는 데 큰 도움이 되었던 것 같다. 마침내 노트 한 권을 전부 채웠을 때의 성취감은 정말이지 잊을 수 없을 것이다.

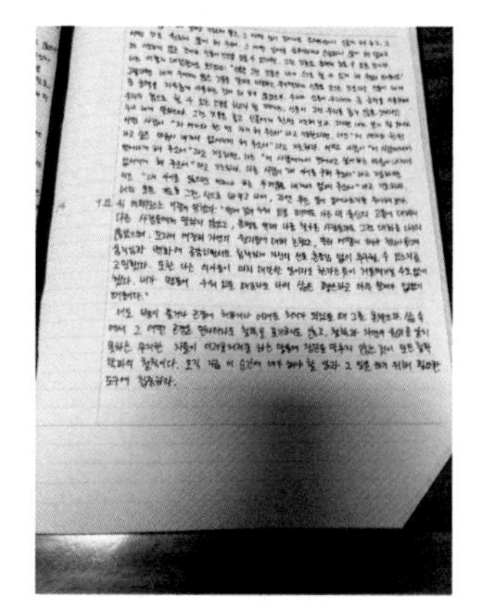

• 2023년 9월 22일에 찍은 176번째 필사 직후의 사진

공부 정리

초등학교 때부터 시험 때마다 '평소에 공부 좀 해둘걸' 하는 후회를 하곤 했다. 그 후회를 계속 후회로만 남길 수는 없다는 생각이 강하게 들었던 것 같다. 그리고 그게 100일 도전 1기 목표를 설정할 때 내가 공부 정리를 선택한 이유일 것이다.

공부 정리는 ′노션(Notion)′이라는 소프트웨어를 이용했다. 노션은 데이터베이스라는 기능을 제공하는데, 그 기능을 이용해서 매일 공부한 내용을 정리하고 어떤 과목을 공부했는지를 데이터베이스에 함께 기록했다. 그리고 노션은 정리한 페이지를 언제 만들었는지를 기록해 주었다.

• 정리되어 있는 노션 데이터베이스

이렇게 매일 틈틈이 정리했던 것이 시험공부 할 때가 되어서 큰 도움이 되었다. 공부 요약본을 이미 내가 만들어놓은 셈이었기 때문이다. 매일 복습하는 것이 얼마나 좋은 습관인지 체감할 수 있었다. 시험 기간에 허덕이지 않을 수 있었던 것이 가장 좋았다.

공부 정리를 매일 하다 보니 자연스럽게 계획을 짜게 되었다. 무언가 더 할 수 있을 것 같다는 생각이 짙게 들었기 때문일 것이다. 내일 시간을 어떻게 쓸지를 달력으로 기록하는 게 이제는 일상이 되었다. 그렇게 세운 모든 계획을 다 실현하지는 못하고 있지만, 아무 계획도 없었던 때보다 하루의 의사결정이 수월해진 것을 느낀다.

Day 78

시험 직전에 볼 것들

• 이미 시험공부 할 내용이 전부 요약 정리되어 있다

영어 기사 읽기

영어는 항상 더 잘하고 싶은 분야였다. 어휘력이 부족하다는 느낌을 받을 때가 종종 있었기 때문이다. 글을 꾸준히 읽으면서 영어 공부를 할 방법은 없을까 생각하다가 영문 기사 읽기를 100일 도전 2기 목표로 선정하게 되었다. 책보다는 기사가 더 다양한 주제를 다루고, 각 기사의 길이도 한 번에 읽을 만한 길이여서 좋았다.

영어 기사는 주로 CNN 기사를 읽었다. 주제는 경제부터 국제 정세, 지구 환경, 신문 사설까지 흥미로워 보이는 기사들을 다양하게 읽어보았다. CNN에서는 기사마다 글을 전부 읽는 데 필요한 시간을 알려준다. 물론 그 예상 시간보다는 늘 많은 시간을 쏟긴 했지만 분량을 한눈에 알기 쉬운 지표가 된다.

비슷한 주제의 기사를 계속해서 읽으면 반복해서 등장하는 단어들이 보인다. 그 단어들의 의미를 막 외우려고 하지 않아도 같은 단어를 여러 번 검색하다 보면 자연스럽게 단어가 머리에 들어오는 느낌을 받았다.

영어 기사도 노션으로 데이터베이스를 새로 만들어서 정리했다. 이 데이터베이스에는 기자 이름과 기사 링크, 원문제목 같은 항목을 만들어 기록했다. 먼저 기사를 쭉 읽고 나서, 길이가 너무 길거나 관심이 없는 주제면 다른 기사를 고르고, 내용이 괜찮으면 모르는 단어들을 노션 페이지에 옮기고 그 뜻을 옆에 같이 적었다. 그리고 여유가 된다면 기사 내용에 대한 요약과 내 생각도 간단히 남겨 보았다.

영어 기사를 읽는 일은 처음에는 상당히 시간을 잡아먹었지만, 기사 읽기에 시간을 쏟을수록 점점 읽기 속도가 빨라지는 것을 체감할 수 있었다. 처음 도전 2기를 시작할 때는 한 시간 가까이 걸렸던 작업을 30분 안에 할 수 있게 되었다.

겪었던 어려움들과 극복

100일 동안 같은 활동을 하려다 보면 시간이 안 나는 때가 분명히 생긴다. 나의 경우에는 전부 자기 전에 하는 것들이었기 때문에, 집에 늦게 도착하게 되면 상당히 힘들었다. 초반에는 다 하고 자려고도 했었는데, 굳이 힘들게 그렇게 하면서 저녁 시간을 고수할 이유가 없었다. 저녁에 못 한 것들은 다음 날 아침에 했고, 더 나중에는 저녁에 약속이 있는 날이면 오전 중에 미리 해놓으려고 노력했다.

의욕이 떨어지는 때도 분명히 있었던 것 같다. 하지만 인스타그램에 올리는 도전 인증 게시물들을 봐주는 교수님과 챌린지 팀원들, 그리고 주변 친구들이 지지해 주었기 때문에 꾸준하게 챌린지를 할 수 있었던 것 같다.

이 글을 읽는 분에게

매일 무언가 하고 싶은데, 하고 싶은 게 명확하지 않다면 필사를 정말 추천한다. 가볍게 매일 할 수 있는 활동으로는 안성맞춤이다. 가벼운 것으로 시작하니까 점점 더 많은 것들을 내 하루에 넣고 싶다고 생각하게 되고, 그렇게 좋은 가속도가 붙게 되는 것 같다. 그리고 진행 상황을 한눈에 볼 수단이 있다는 게 정말 중요한 것 같다. 매일 조금씩 쌓아온 것들을 바라보면 그게 뿌듯함을 주기도 하지만, 이 공들인 탑을 그냥 내버려두기 아깝다고 생각하게 만든다. 그리고 그 진행 상황을 여러 사람이 보고 반응을 남길 수 있다면 그보다 더 좋을 수 없을 것이다.

관성을 잃은 기분이 들 때, 정말 작고 하기 쉬운 일부터 매일 해보는 건 어떨까?

15.
나를 사랑하기 시작한 시간

김정심

챌린지

필사하기, 확언 쓰기, 만보 걷기

챌린지를 정리하는 글을 쓴다고 생각하니 가슴이 벅찼다. 그동안 많은 변화가 있었기 때문에 어디서부터 써야 할까 고민이 되었다. 이번 챌린지는 오랫동안 친구로서 후배로서 그리고 회사의 동료로서 지내는 현주 언니의 권유에서 시작 되었다. 2022년에 잠깐 한국에 들어왔을 때 필사를 같이 하자고 해서 시작한 것이 어느새 몇 백일이 되었다. 그리고 이번 챌린지에도 함께하게 되었다. 이번 챌린지는 학생들과 함께 하면서 에너지를 느끼고 응원하는 모습에서 열정과 따뜻함을 느낄 수 있어 행복한 시간이었다.

그동안 나의 루틴이 된 필사 얘기를 하고 싶었으나 망설임이 있던 차에 새해에 언니와의 대화를 한 것을 정리하면 나의 챌린지 스토리를 대신 할 수 있을 것 같다.

누군가 나에게 '자기소개를 해주세요.'라고 하면 나는 경력 20년차 디자이너이며. 중학교 여자아이와 IT 개발사를 운영하고 있는 남편이 있다. 거의 이런 답변과 비슷하게 나를 소개해왔다. 이 외에 무엇을 더 말할게 있을까 바로 생각이 나지도 않았고 중요하게 생각되지도 않았었다.

한국에서 커리어를 유지하고 가족 안에서 안정된 생활을 할 때는 나름 만족한 생활을 하고 있었다. 어떤 문제가 발생해도 자연스럽게 해결되는 일이 많았다. 그런데 아이와 함께 캐나다에서 지내던 3년은 내 인생 도전의 시기였다. 낯선 나라와 문화 그리고 현실적으로 해결해야 하는 일들 그리고 새롭게 만난 주변 사람들과 새로운 사회적 관계를 잘 만들어 가는 것도 도전이었다. 이런 환경에 놓이다 보니 '나는 어떤 존재인가?' 생각하게 되고, 일이 잘 안 풀리는 날엔 내 자신에 대한 회의감까지도 들 때가 있었다.

코로나로 인해 몇 달을 임시로 들어오게 된 날 숭실대 앞 카페에서 언니로부터 필사 책을 건네받았다. 가끔 캐나다 생활의 힘든 것을 말해서인지 언니는 작정하고 필사책을 준비해온 것 같았다. 필사를 통해서 어떤 효과와 기대를 가져올 것인지 긴 설명도 없이 그저 캐나다에 돌아가면 매일 더도 덜도 말고 그저 필사 하루 한 장만 하자고 했다. 그 때 필사를 시작하자고 했을 때 나의 마음을 이제 솔직히 말하자면, 세상의 좋은 글귀가 많고 성공한 사람들이 '이렇게 하면 되요'라는 것들을 잘 믿지도 않았었기 때문에 이 필사가 나에게 어떤 도움이 될지 의구심이 들었었다.

그런데 필사를 시작 한 후 마음의 변화가 오기 시작했다. 그저 좋은 글을 베껴서 쓰기만 했는데 그것을 믿기 시작했다. 아 이렇게 생각해야 이루어지는구나! 성공한 사람들은 이런 마음과 생각하는 힘을 가지고 살아가나 보다. 이해가 가기 시작했다.

첫 필사 100일을 마치고 나서, 두 번째는 필사와 함께 확언의 글도 쓰기 시작했다. 매일 쓰는 확언은 나의 하루가 나의 선택에 달려있다는 것을 깨달았다. 다른 사람이 만든 세상에서 허둥대는 것이 아니다. 온 우주가 나에게 말을 걸어오는 느낌이다. 자신감으로 내가 만들어 가는 나의 하루이며 나의 인생이다.

개발사를 운영하면서 바쁜 남편은 계속해서 공부를 하고 있다. 박사과정을 밟으며 지식의 성장 뿐 아니라 인생의 성장을 만드는 것이라고 했다. 이제는 남편을 진심으로 이해할 수 있게 되었다. 나의 이 작은 변화를 남편에게 얘기하고 남편의 늦은 박사과정 공부도 진심으로 응원하게 된다. 그의 모습이 자랑스럽고 더 사랑하게 되었다.

아무것도 하지 않을 때는 열심히 하는 사람들을 보면 왜 그렇게 힘들게 사느냐고, 그렇게 열심히 매일 무언가 하는 것이 피곤하지 않느냐고 하는 사람들이 있다. 이제는 그들의 말에 흔들리지 않으며 상처받지 않는다. 내가 바라볼 대상은 그들이 아니라 미래의 나이기 때문이다.

그리고 하나 더 가져온 변화는 나를 사랑하게 된 시간 이었다. 그동안 누구의 엄마로서 누구의 아내로서가 아닌 나 김정심의 내면을 바라보게 된 시간이었다. 나를 아끼고 나에게 진정으로 원하는 것이 무엇이냐고 묻는다. 그리고 그동안 잘 살았다고 칭찬한다. 나를 사랑하는 것이 얼마나 중요한지를 깨달은 것이다.

이번 챌린지는 숭실대 멤버들과 함께해서 더 즐겁게 할 수 있었다. 인스타그램에 올라오는 인증 사진들 너머에 어려움을 극복한 과정이 있음을 알고 서로 응원하는 박수 이모티콘에 사랑이 담겨있음을 안다. 역시 혼자보다는 함께하는 힘이 위대하다.

이상으로 대화의 정리를 마친다. 그리고 나는 챌린지를 마치고 새로운 필사책을 시작했다. 필사와 더불어 글을 쓰고 거기서 얻은 성찰을 행동으로 옮기는 한 해를 만들 것이다.

이 책을 읽는 독자분들에게 드리고 싶은 마지막 말은 '아주 작은 것이라도 매일 행동으로 하세요. 실천의 힘을 믿으세요.'입니다. 감사합니다.

| 에필로그 |

'숭실100일성공' 챌린지는 계속됩니다.

지속적인 변화와 성장을 꿈꾸는 챌린지 멤버들의 열망을 생생하게 느낄 수 있었습니다. 변화와 성장은 혼자만의 힘으로는 부족할 때가 있습니다. 혼자 잘하는 것보다 같이할 때 예측을 벗어난 엄청난 성과를 가져옵니다. 이런 경험을 여러 번 하다 보면 자연스럽게 겸손해지고 타인의 능력이 얼마나 귀하고 가치가 있는지 소중하게 여겨집니다. 성장의 방향은 스스로 정하지만, 성장이 어떻게 이루어지냐고 묻는다면 단언컨대 타인과의 협업을 통해 이루어집니다.

우리는 이 챌린지를 통해서 얻은 경험과 깨달음을 앞으로 살아갈 날들에 통합하여 살아갈 것입니다. 그리고 실천의 힘을 기르기 위한 챌린지는 계속됩니다. 숭실대학교 학생 여러분, 챌린지 참가자 여러분 모두 수고하셨습니다. 항상 같은 마음으로 여러분을 응원합니다.